Inhalt und

Blaue **Stichwörter**.	**dining**
Redewendungen und **Anwendungsbeispiele**.	**filthy** ['f *look* v **mood**
Die **Tilde** ersetzt in Wendungen das Stichwort.	**flexible** [**ing hou**
Kennzeichnung gleich geschriebener Wörter mit unterschiedlicher Bedeutung (**Homographen**).	**bark**[1] [b **bark**[2] [bo
Unterscheidung verschiedener Wortarten durch **Römische Ziffern**.	**tar** [tɑːʳ] **II.** *vt* <-
Unterscheidung verschiedener Bedeutungen des Stichworts durch **arabische Ziffern**.	**china** ['tʃa Porzellan
Angabe der **Aussprache** in internationaler Lautschrift.	**cooker** ['k
Angabe **unregelmäßiger Plural-, Verb- und Steigerungsformen** in spitzen Klammern.	**mouse** < **go** [gəʊ] **I.** **good** [gʊd
Wegweiser zur treffenden Übersetzung:	
• **Bedeutungserklärungen** oder **Synonyme**	**major** ['me bedeutend
• **Sachgebietsangaben**	**artery** ['ɑːt TRANSP Ha
• **Regionale Angaben**	**garbage** [' (*rubbish*)
• **Stil-**, **Alters-** und **rhetorische Angaben**	**gent** [dʒent **gentleman**
• Typische **Kontextpartner**	**raise** [reɪz] lichten; *dra* aufbringen;
Einleitung des **Abschnitts mit den festen Redewendungen und Sprichwörtern**; die Unterstreichung dient als Orientierungshilfe.	**head** [hed] **in the** <u>clo</u> schweben;
Markierung der **Phrasal verb** Einträge. Das Symbol ⇆ gibt an, dass die Reihenfolge von Objekt und Ergänzung auch vertauscht werden kann.	◆ **book in** **II.** *vt* **to ~** buchen

gisch-Deutsch

ıer *nt*	Blue **headwords**.
'eckig *fam* **2.** **was in a ~** re Laune…	**Phrases** and **example sentences**.
sam; **~ work-** eitszeit	A **swung dash** substitutes the headword in phrases.
rt of tree) … *cry*) …	**Homographs** marked with superscript numbers.
m, Asphalt *m* ı	Grammatical structuring of entries with **Roman numerals**.
l. (*porcelain*) *ıre*) …	Semantic structuring of entries with **Arabic numerals**.
ove) Herd *m*	**Phonetic transcription**.
s] *n* Maus *f* nt, gone> … ɪr, best> …	**Irregular inflections** of nouns, verbs and adjectives given in angle brackets.
	Guides to the correct translation:
:r (*important*) ɔt-; …	• **Definitions** or **synonyms**
Arterie *f* **2.** er *f*	• **Field labels**
ɔ pl AM, AUS	• **Regional labels**
m) *short for* *m*	• **Style, age** and **rhetorical labels**
eben; *anchor* ıziehen; *funds*	• Typical **context partners**
have one's ~ ren Regionen	Separate **phrase section for idioms**. Guide words are underlined for ease of consultation.
ıT einchecken jdn ein Hotel	**Phrasal verb** entries. The symbol ⇆ shows that the sequence of object and complement can be reversed.

PONS Basiswörterbuch
Englisch

Bearbeitet von: Ian Dawson, Monika Finck, Peter Frank, Jill Williams

Neuentwicklung auf der Basis des Standardwörterbuchs Englisch
ISBN 978-3-12-517023-0

1. Auflage 2006 (1,04 – 2009)

PONS Produktinfos und Shop: www.pons.de
E-Mail: info@pons.de
Onlinewörterbuch: www.pons.eu

Projektleitung: Astrid Proctor
Sprachdatenverarbeitung: Dr. Wolfgang Schindler
Einbandgestaltung: Schmidt & Dupont, Stuttgart
Logoentwurf: Erwin Poell, Heidelberg
Logoüberarbeitung: Sabine Redlin, Ludwigsburg
Satz: Dörr + Schiller GmbH, Stuttgart
Druck: L.E.G.O. S.p.A, Lavis (TN)
Printed in Italy

ISBN 978-3-12-517024-7

Inhaltsverzeichnis

Contents

Deutsche und englische Phonetik
German and English Phonetics

	[æ]	c**a**t, m**a**n, m**a**tter
m**a**tt, K**a**tze	[a]	
	[ɑː]	f**a**ther, f**ar**m
	[ɒ] (BRIT)	p**o**t, b**o**ttom
bitt**er**, Mutt**er**	[ɐ]	
Uh**r**, Fl**ur**	[ɐ̯]	
Ch**an**son	[ã]	
Gourm**and**	[ãː]	
	[ɑ̃ː]	croiss**ant**
h**ei**ß, K**ai**ser	[ai]	
	[aɪ]	r**i**de, m**y**
H**au**s	[au]	
	[aʊ]	h**ou**se, ab**ou**t
Ball	[b]	**b**ig
i**ch**, Li**ch**t	[ç]	
dicht	[d]	**d**a**d**
Gin, **J**ob	[dʒ]	e**dge**, **j**uice
Etage	[e]	p**e**t, b**e**st
B**ee**t, M**eh**l	[eː]	
N**e**st, W**ä**sche	[ɛ]	
w**äh**len	[ɛː]	
	[ɜː]	b**ir**d, b**er**th
t**im**brieren	[ɛ̃]	
T**ein**t	[ɛ̃ː]	**fin** de siècle
	[ᵊ]	hidd**en**, sudd**en**
halt**e**, Katz**e**	[ə]	Afric**a**, p**o**tato
	[ʌ]	b**u**st, c**u**p, m**u**lti
	[eɪ]	r**a**te
	[eə] (BRIT)	th**ere**, h**air**
Fett, **v**iel	[f]	**f**ast, sa**f**e

Geld	[g]	**g**old
Hut	[h]	**h**ello
B**i**tte, s**i**tzen	[ɪ]	k**i**tten, s**i**t
V**i**tamin	[i]	academ**y**, fort**y**
Absch**ie**d, B**ie**r	[iː]	r**ea**d, m**ee**t
Stud**i**e	[i̯]	
	[ɪə] (BRIT)	h**ere**, b**eer**
ja	[j]	**y**ellow
Kohl, **C**omputer	[k]	**c**at, **k**ing
Quadrat	[kv]	
	[kw]	**qu**een
Last	[l]	**l**ittle
Neb**el**	[l̩]	litt**le**
Meister	[m]	**m**onth, na**m**e
nett	[n]	**n**ice, sa**n**d
sprech**en**	[n̩]	
Ri**ng**, bli**n**ken	[ŋ]	ri**ng**, ri**n**k, bi**ng**o
Oase	[o]	
B**oo**t, dr**oh**en	[oː]	
l**o**yal	[o̯]	
P**o**st	[ɔ]	
	[ɔː]	c**au**ght, **ou**ght
	[əʊ] (BRIT)	b**oa**t, r**o**de
	[oʊ] (AM)	tuxed**o**
Ann**on**ce, F**on**ds	[õː]	
	[ɔ̃]	restaur**ant**
Ökonomie	[ø]	
Öl	[øː]	
G**ö**tter	[œ]	
	[ɔɪ]	b**oy**, n**oi**se, r**oy**al
M**äu**se, Schl**eu**se	[ɔy]	
Papst	[p]	**p**at

Pfeffer	[pf]	
Rad	[r]	**r**ight
	[ɾ] (BRIT)	bi**tt**er
	[ɚ] (AM)	bitt**er**
Ra**s**t, be**ss**er, hei**ß**	[s]	**s**oft
Schaum, **s**prechen, **Ch**ef	[ʃ]	**sh**ift
Test, **t**reu	[t]	fa**t**, **t**ake
	[t̬] (AM)	be**tt**er
Zaun	[ts]	
Ma**tsch**, **Tsch**üss	[tʃ]	**ch**ip, pa**tch**
	[θ]	**th**ink, ba**th**
	[ð]	fa**th**er, ba**the**
z**u**nächst	[u]	
H**u**t	[uː]	contin**ue**, m**oo**se, l**o**se
akt**u**ell	[u̯]	
M**u**tter	[ʊ]	b**oo**k, p**u**t
pf**ui**	[ui]	
	[ʊə] (BRIT)	m**oor**
wann, **V**ase	[v]	**v**itamin
	[w]	**w**ish, **wh**y
Schlau**ch**	[x]	lo**ch**
Fi**x**, A**x**t, La**chs**	[ks]	
am**ü**sant, B**ü**ro	[y]	
S**ü**den, T**y**p	[yː]	
Et**ui**	[y̆]	
f**ü**llen	[ʏ]	
Ha**s**e, **s**auer	[z]	**z**ebra, ja**zz**
Genie	[ʒ]	plea**s**ure
Knacklaut	ʔ	glottal stop
Hauptbetonung	ˈ	primary stress
Nebenbetonung	ˌ	secondary stress

Liste der Abkürzungen

	Zeichen und Abkürzungen	Symbols and Abbreviations
►	phraseologischer Block	phrase block
|	trennbares Verb	separable verb
=	Kontraktion	contraction
≈	entspricht etwa	comparable to
–	Sprecherwechsel in einem Dialog, Deutsch	change of speaker in a dialogue, German
—	Sprecherwechsel in einem Dialog, Englisch	change of speaker in a dialogue, English
®	Warenzeichen	trade mark
RR	reformierte Schreibung	reformed German spelling
ALT	reformierte Schreibung	unreformed German spelling
⇆	zeigt variable Stellung des Objektes und der Ergänzung bei Phrasal Verbs auf	indicates the variable position of the object in phrasal verb sentences
a.	auch	also
abbrev, Abk	Abkürzung	abbreviation
acr	Akronym	acronym
adj	Adjektiv	adjective
ADMIN	Verwaltung	administration
adv	Adverb	adverb
AEROSP	Raum- und Luftfahrt	aerospace
AGR	Landwirtschaft	agriculture
akk	Akkusativ	accusative
Akr	Akronym	acronym
AM	amerikanisches Englisch	American English
ANAT	Anatomie	anatomy
approv	aufwertend	approving
ARCHEOL	Archäologie	archeology
ARCHIT	Architektur	architecture
ART	Kunst	art

	Zeichen und Abkürzungen	Symbols and Abbreviations
art	Artikel	article
ASTROL	Astrologie	astrology
ASTRON	Astronomie	astronomy
attr	attributiv	attributive
AUS	australisches Englisch	Australian English
AUTO	Auto	automobile
aux vb	Hilfsverb	auxiliary verb
AVIAT	Luftfahrt	aviation
BAHN	Eisenbahnwesen	railway
BAU	Bauwesen	construction
BERGB	Bergbau	mining
bes	besonders	especially
BIOL	Biologie	biology
BÖRSE	Börse	stock exchange
BOT	Botanik	botany
BOXING	Boxen	boxing
BRD	Binnendeutsch	German of Germany
BRIT	britisches Englisch	British English
CAN	kanadisches Englisch	Canadian English
CARDS	Karten	cards
CHEM	Chemie	chemistry
CHESS	Schach	chess
childspeak	Kindersprache	children's language
COMM	Handel	business
comp	komparativ	comparative
COMPUT	Informatik	computing
conj	Konjunktion	conjunction
dat	Dativ	dative
dated	veraltend	dated
def	bestimmt	definite
dekl	dekliniert	declined

	Zeichen und Abkürzungen	Symbols and Abbreviations
dem	demonstrativ	demonstrative
derb	derb	coarse language
DIAL	dialektal	dialect
dim	Diminutiv	diminutive
ECOL	Ökologie	ecology
ECON	Wirtschaft	economics
ELEC, ELEK	Elektrizität	electricity
emph	emphatisch	emphatic
esp	besonders	especially
etw	etwas	something
EU	Europäische Union	European Union
euph	euphemistisch	euphemistic
f	Feminin	feminine
fam	umgangssprachlich	informal
fam!	stark umgangssprachlich	very informal
FASHION	Mode	fashion
FBALL	Fußball	football
fem	Feminin	feminine
fig	bildlich	figurative
FILM	Film, Kino	film, cinema
FIN	Finanzen	finance
FOOD	Kochkunst	food and cooking
form	förmlicher Sprachgebrauch	formal language
FOTO	Fotografie	photography
geh	gehobener Sprachgebrauch	formal language
gen	Genitiv	genitive
GEOG	Geographie	geography
GEOL	Geologie	geology
HANDEL	Handel	business
HIST	Geschichte	history
hist	historisch	historical

	Zeichen und Abkürzungen	Symbols and Abbreviations
HORT	Gartenbau	gardening
hum	scherzhaft	humorous
HUNT	Jagd	hunting
imp	Imperfekt	imperfect tense
impers	unpersönliches Verb	impersonal use
indef	unbestimmt	indefinite
INET	Internet	internet
infin	Infinitiv	infinitive
INFORM	Informatik	computing
interj	Interjektion	interjection
interrog	fragend	interrogative
iron	ironisch	ironic
irreg	unregelmäßig	irregular
JAGD	Jagd	hunting
jd, jdn, jdm	jemand, jemanden, jemandem	somebody
jds	jemandes	somebody's
JOURN	Presse	journalism
JUR	Jura	law
KARTEN	Karten	cards
KOCHK	Kochkunst	food and cooking
konj	Konjunktion	conjunction
KUNST	Kunst	art
LAW	Jura	law
LING	Linguistik	linguistics
LIT	Literatur	literature
liter	literarisch	literary
LUFT	Luftfahrt	aviation
m	Maskulin	masculine
MATH	Mathematik	mathematics
MECH	Mechanik	mechanics
MED	Medizin	medicine

	Zeichen und Abkürzungen	Symbols and Abbreviations
MEDIA	Medien	media
METEO	Meteorologie	meteorology
MIL	Militär	military
MIN	Bergbau, Mineralogie	mining, mineralogy
MODE	Mode	fashion
MUS	Musik	music
NAUT	Seefahrt	navigation
NBRIT	Nordenglisch	Northern English
NORDD	Norddeutsch	Northern German
nt	Neutrum	neuter
NUCL, NUKL	Kernphysik	Kernphysik
NZ	Englisch aus Neuseeland	New Zealand English
o	oder	or
ÖKOL	Ökologie	ecology
ÖKON	Wirtschaft	economics
old	veraltet	old
onomat	lautmalerisch	onomatopoeic
ORN	Vogelkunde	ornithology
ÖSTERR	österreichisches Deutsch	Austrian German
part	Partizip/Partikel	participle/particle
pej	abwertend	pejorative
pej!	beleidigend	offensive
pers	Personal(pronomen)	personal (pronoun)
pers.	Person	person
PHARM	Pharmazie	pharmacy
PHOT	Fotografie	photography
PHYS	Physik	physics
pl	plural	plural
POL	Politik	politics
poss	possessiv	possessive
pp	Partizip Perfekt	past participle

	Zeichen und Abkürzungen	Symbols and Abbreviations
präd, pred	prädikativ	predicative
pron	Pronomen	pronoun
prov	Sprichwort	proverb
PSYCH	Psychologie	psychology
pt	erste Vergangenheit	past tense
PUBL	Verlagswesen	publishing
RADIO	Rundfunk	radio broadcasting
RAIL	Eisenbahnwesen	railway
RAUM	Raumfahrt	space flight
refl	reflexiv	reflexive
reg	regelmäßig	regular
rel	relativ	relative
REL	Religion	religion
s.	siehe	see
S.	Sache	thing
SA	südafrikanisches Englisch	South African English
sb	jd, jdn, jdm	somebody
sb's	jemandes	somebody's
SCH	Schule	school
SCHACH	Schach	chess
SCHWEIZ	schweizerisches Deutsch	Swiss German
SCI	Naturwissenschaften	natural science
SCOT	Schottisch	Scottish
sing	Einzahl	singular
SKI	Skifahren	skiing
sl	salopp, Slang	slang
SOCIOL	Soziologie	sociology
spec	fachsprachlich	specialist term
SPORT, SPORTS	Sport	sports
sth	etwas	something
STOCKEX	Börse	stock exchange

	Zeichen und Abkürzungen	Symbols and Abbreviations
SÜDD	Süddeutsch	Southern German
superl	superlativ	superlative
TECH	Technik	technology
TELEC, TELEK	Nachrichtentechnik	telecommunications
TENNIS	Tennis	tennis
THEAT	Theater	theatre
TOURIST	Tourismus	tourism
TRANSP	Transport und Verkehr	transportation
TV	Fernsehen	television
TYPO	Buchdruck	typography
UNIV	Universität	university
usu	gewöhnlich	usually
vb	Verb	verb
veraltend	veraltend	dated
veraltet	veraltet	old
VERLAG	Verlagswesen	publishing
vi	intransitives Verb	intransitive verb
vr	reflexives Verb	reflexive verb
vt	transitives Verb	transitive verb
vulg	vulgär	vulgar
ZOOL	Zoologie	zoology

A

A, a <*pl* -'s> [eɪ] *n* **1.** A *nt,* a *nt* **2.** MUS A *nt,* a *nt;* **~ flat** As *nt,* as *nt;* **~ sharp** Ais *nt,* ais *nt;* **~ major** A-Dur *nt;* **~ minor** a-Moll *nt* **3.** (*school mark*) ≈ Eins *f;* **to get [an] ~** eine Eins schreiben ▶ **from ~ to Z** von A bis Z

a [eɪ, ə], *before vowel* **an** [æn, ᵊn] *art indef* **1.** ein(e); **this is ~ very mild cheese** dieser Käse ist sehr mild; **she's ~ teacher** sie ist Lehrerin **2.** *after neg* **not ~** kein(e); **there was not ~ person to be seen** es war niemand zu sehen **3.** (*per*) **three times ~ day** dreimal täglich

abandon [ə'bændən] **I.** *vt* **1.** (*leave*) verlassen; *baby* aussetzen **2.** (*leave behind*) zurücklassen; *car* stehen lassen **II.** *n no pl* **with ~** mit Leib und Seele

abbey ['æbi] *n* Abtei[kirche] *f*

abbreviation [əˌbriːvi'eɪʃᵊn] *n* Abkürzung *f*

ability [ə'bɪləti] *n* **1.** Fähigkeit *f* **2.** (*talent*) Talent *nt;* **someone of her ~** jemand mit ihrer Begabung

able ['eɪbl̩] *adj* **1.** <more *or* better able, most *or* best able> **to be ~ to do sth** etw tun können **2.** <abler *or* more able, ablest *or* most able> (*clever*) talentiert; *mind* fähig

aboard [ə'bɔːd] *adv, prep* (*on plane, ship*) an Bord; (*on train*) im Zug; **all ~!** (*on train, bus*) alles einsteigen!

Aborigine [ˌæbə'rɪʤᵊni] *n* [australischer] Ureinwohner/[australische] Ureinwohnerin, Aborigine *m;* **~s** *pl* Aborigines *pl*

abort [ə'bɔːt] *vt* **1.** *fetus* abtreiben; *pregnancy* abbrechen **2.** (*stop*) abbrechen

abortion [ə'bɔːʃᵊn] *n* Abtreibung *f*

about [ə'baʊt] **I.** *prep* **1.** über *+akk;* **anxiety ~ the future** Angst *f* vor der Zukunft; **what's that book ~?** worum geht es in dem Buch? **2.** (*affecting*) gegen *+akk* **3.** *after vb* (*expressing movement*) **to wander ~ the house** im Haus herumlaufen **4.** BRIT (*fam: in the process of*) **while you're ~ it** wo Sie gerade dabei sind ▶ **how ~ sb/sth?** wie wäre es mit jdm/etw? **II.** *adv* **1.** (*approximately*) ungefähr; **~ eight [o'clock]** [so] gegen acht [Uhr] **2.** (*almost*) fast **3.** (*barely*) **we just ~ made it** wir haben es gerade noch [so] geschafft **4.** *esp* BRIT (*around*) herum; **there's a lot of flu ~ at the moment** im Moment geht die Grippe um; **up and ~** auf den Beinen **5.** *esp* BRIT (*in the area*) hier **6.** (*intending*) **we're just ~ to have supper** wir wollen gerade zu Abend essen ▶ **that's ~ all** [*or* **it**] das wär's

above [ə'bʌv] **I.** *prep* **1.** (*over*) über *+dat;* (*with movement*) über *+akk* **2.** (*greater than*) über *+akk* **3.** (*superior to*) **to be ~ criticism** über jede Kritik erhaben sein **4.** (*more importantly than*) **~ all** vor allem ▶ **that's ~ me** das ist mir zu hoch **II.** *adv* **1.** (*on higher level*) oberhalb **2.** (*overhead*) **from ~** von oben **3.** (*earlier in text*) oben; **see ~** siehe oben **III.** *adj* obige(r, s); **the ~ address** die oben genannte Adresse **IV.** *n* **the ~** (*thing*) das Obengenannte

abroad [ə'brɔːd] *adv* im Ausland; **to go ~** ins Ausland fahren; **from ~** aus dem Ausland

abrupt [ə'brʌpt] *adj* abrupt
absence ['æbsᵊn(t)s] *n* Abwesenheit *f;* (*from school, work*) Fehlen *nt;* **in the ~ of sth** in Ermangelung einer S. *gen*
absent **I.** *adj* ['æbsᵊnt] **1.** abwesend; **to be ~ from work/school** auf der Arbeit/in der Schule fehlen **2.** (*distracted*) [geistes]abwesend **II.** *vt* [æb'sent] **to ~ oneself** sich zurückziehen
absolute [ˌæbsə'lu:t] *adj* absolut
absolutely [ˌæbsə'lu:tli] *adv* absolut; **you're ~ right** Sie haben vollkommen Recht; **~ no idea** überhaupt keine Ahnung
absorb [əb'zɔ:b, -sɔ:b] *vt* **1.** (*soak up*) aufnehmen **2.** **to be ~ed in sth** in etw *akk* vertieft sein
abstract **I.** *adj* ['æbstrækt] abstrakt **II.** *n* ['æbstrækt] Zusammenfassung *f*
absurd [əb'zɜ:d, -'sɜ:d] *adj* absurd; **don't be ~!** sei nicht albern!
abundant [ə'bʌndənt] *adj* reichlich
abuse **I.** *n* [ə'bju:s] **1.** (*affront*) [**verbal**] ~ Beschimpfung[en] *f[pl]*; **a term of ~** ein Schimpfwort *nt* **2.** *no pl* (*maltreatment*) Missbrauch *m;* **child ~** Kindesmissbrauch *m;* **mental/physical ~** psychische/körperliche Misshandlung **II.** *vt* [ə'bju:z] **1.** (*verbally*) beschimpfen **2.** (*maltreat*) missbrauchen
abusive [ə'bju:sɪv] *adj* (*insulting*) beleidigend
academic [ˌækə'demɪk] **I.** *adj* akademisch; **~ year** Studienjahr *nt* **II.** *n* Akademiker(in) *m(f)*
academy [ə'kædəmi] *n* **1.** Akademie *f* **2.** *esp* AM, SCOT [höhere] Schule
accelerate [ək'seləreɪt] *vi* **1.** beschleunigen **2.** (*increase*) zunehmen
accent ['æksᵊnt] *n* **1.** LING Akzent *m* **2.** (*stress*) Betonung *f*
accept [ək'sept] *vt* annehmen, akzeptieren; *award* entgegennehmen; **do you ~ credit cards?** kann man bei Ihnen mit Kreditkarte zahlen?
acceptable [ək'septəbl̩] *adj* akzeptabel (**to** für)
acceptance [ək'septən(t)s] *n* **1.** Annahme *f;* *of idea* Zustimmung *f* **2.** (*positive answer*) Zusage *f* **3.** (*recognition*) Anerkennung *f*
access ['ækses] **I.** *n* Zugang *m;* (*to room, building*) Zutritt *m;* **"~ only"** BRIT „Anlieger frei" **II.** *vt* COMPUT *data* zugreifen auf *+akk*
accessory [ək'sesᵊri] *n* **1.** FASHION Accessoire *nt* **2.** (*equipment*) Zubehör *nt*
accident ['æksɪdᵊnt] *n* **1.** Unfall *m;* *train, plane* Unglück *nt;* **~ and emergency unit** Notaufnahme *f* **2.** (*without intention*) **sorry, it was an ~** tut mir leid, es war keine Absicht; **by ~** aus Versehen
accidental [ˌæksɪ'dentᵊl] *adj* **1.** (*unintentional*) unbeabsichtigt **2.** (*chance*) zufällig
accommodate [ə'kɒmədeɪt] *vt* **1.** (*have room for*) unterbringen **2.** (*help*) entgegenkommen
accommodation [əˌkɒmə'deɪʃᵊn] *n* Unterkunft *f*
accompany <-ie-> [ə'kʌmpəni] *vt* begleiten
accord [ə'kɔ:d] **I.** *n* (*treaty*) Vereinbarung *f;* ▶ **of one's own** ~ von sich aus **II.** *vt* gewähren
according to [ə'kɔ:dɪŋ] *prep* **1.** nach *+dat;* **~ the laws of physics** nach den Regeln der Physik; **did it all go ~ plan?** verlief alles nach Plan? **2.** (*depending on*) entsprechend *+dat*

account [ə'kaʊnt] *n* **1.** (*description*) Bericht *m;* **by all ~s** nach allem, was man so hört **2.** (*bank service*) Konto *nt* (**with** bei) **3.** (*records*) **~s** *pl* [Geschäfts]bücher *pl;* **to keep the ~s** die Buchhaltung machen **4.** *no pl* (*consideration*) **to take into ~** berücksichtigen **5.** (*reason*) **on ~ of** aufgrund *+gen;* **on my/her/his ~** meinet-/ihret-/seinetwegen

accountant [ə'kaʊntənt] *n* [Bilanz]buchhalter(in) *m(f)*

accurate ['ækjərət] *adj* genau

accusation [ˌækjʊ'zeɪʃᵊn] *n* **1.** (*charge*) Anschuldigung *f;* LAW Anklage *f* (**of** wegen); **to make an ~ against sb** jdn beschuldigen **2.** (*accusing*) Vorwurf *m*

accuse [ə'kjuːz] *vt* **to ~ sb [of sth]** jdn [wegen einer S. *gen*] anklagen, jdn [einer S. *gen*] beschuldigen

ace [eɪs] **I.** *n* Ass *nt;* **~ reporter** Starreporter(in) *m(f)* **II.** *adj* (*fam*) klasse

ache [eɪk] **I.** *n* Schmerz[en] *m[pl];* **~s and pains** Wehwehchen *pl* **II.** *vi* schmerzen; **I'm ~ing all over** mir tut alles weh

achievement [ə'tʃiːvmənt] *n* Leistung *f*

acid ['æsɪd] **I.** *n* **1.** CHEM Säure *f* **2.** (*sl: LSD*) Acid *nt* **II.** *adj* CHEM sauer; *stomach* übersäuert

acknowledge [ək'nɒlɪdʒ] *vt* **1.** (*admit*) zugeben **2.** (*respect*) anerkennen; **he was generally ~d to be an expert** er galt allgemein als Experte **3.** (*reply to*) *greeting* erwidern

acquaintance [ə'kweɪntᵊn(t)s] *n* Bekannte(r) *f(m)*

acquire [ə'kwaɪəʳ] *vt* erwerben; *habit* annehmen; *knowledge* sich *dat* aneignen

across [ə'krɒs] **I.** *prep* über *+akk o dat;* **~ town** am anderen Ende der Stadt; **~ the street** auf der gegenüberliegenden Straßenseite **II.** *adv* **1.** (*to other side*) hinüber; (*from other side*) herüber **2.** (*wide*) breit; *of circle* im Durchmesser

act [ækt] **I.** *n* **1.** (*deed*) Tat *f,* Handlung *f;* **~ of aggression** Angriff *m;* **~ of kindness** Akt *m* der Güte; **~ of terrorism** Terrorakt *m;* **to catch sb in the ~** jdn auf frischer Tat ertappen **2.** (*of a play*) Akt *m* **II.** *vi* **1.** (*take action*) handeln; (*proceed*) vorgehen; **to ~ [up]on sb's advice** jds Rat befolgen **2.** (*function*) fungieren **3.** (*be an actor*) Schauspieler/Schauspielerin sein **III.** *vt* spielen

action ['ækʃᵊn] *n* **1.** (*activeness*) Handeln *nt;* (*proceeding*) Vorgehen *nt;* (*measures*) Maßnahmen *pl;* **out of ~** außer Gefecht; **to put into ~** in die Tat umsetzen; **to take ~** etwas unternehmen **2.** (*act*) Handlung *f* **3.** (*combat*) Einsatz *m* **4.** (*movement*) Bewegung *f* **5.** *no pl* (*function*) **out of ~** außer Betrieb

active ['æktɪv] *adj* aktiv; *children* lebhaft

activewear ['æktɪvweəʳ] *n no pl* Activewear *f*

activity [æk'tɪvəti] *n* **1.** (*activeness*) Aktivität *f* **2.** *no pl* (*liveliness*) Lebhaftigkeit *f* **3.** *usu pl* (*pastime*) Aktivität *f*

actor ['æktəʳ] *n* Schauspieler *m*

actress <*pl* -es> ['æktrəs] *n* Schauspielerin *f*

actually ['æktʃuəli] *adv* **1.** (*in fact*) eigentlich **2.** (*really*) wirklich; **did you ~ say that?** hast du das tatsächlich gesagt?

acute [ə'kju:t] *adj* **1.** (*serious*) akut; *difficulties* ernst; *pain* heftig **2.** MATH *angle* spitz

ad [æd] *n* (*fam*) *short for* **advertisement** Anzeige *f;* (*on TV*) Werbespot *m*

AD [ˌeɪ'di:] *adj abbrev of* **Anno Domini** n. Chr.

adapt [ə'dæpt] *vt* anpassen (**to** an)

add [æd] *vt* **1.** hinzufügen **2.** MATH addieren **3.** (*contribute*) beitragen

addict ['ædɪkt] *n* Süchtige(r) *f(m);* **drug ~** Drogenabhängige(r) *f(m);* **to become an ~** süchtig werden

addicted [ə'dɪktɪd] *adj* süchtig (**to** nach)

addiction [ə'dɪkʃᵊn] *n no pl* Sucht *f* (**to** nach)

addition [ə'dɪʃᵊn] *n* **1.** Zusatz *m* **2.** *no pl* (*adding*) Addition *f* **3.** (*furthermore*) **in ~** außerdem

additional [ə'dɪʃᵊnᵊl] *adj* zusätzlich; **~ charge** Aufpreis *m*

additive ['ædɪtɪv] *n* Zusatz *m*

address **I.** *n* <*pl* -es> [ə'dres] **1.** Adresse *f* **2.** (*speech*) Rede *f* (**to** an) **II.** *vt* [ə'dres] **1.** (*write address*) adressieren (**to** an) **2.** (*direct*) *remark* richten (**to** an)

addressee [ˌædres'i:] *n* Empfänger(in) *m(f)*

adequate ['ædɪkwət] *adj* ausreichend

adhesive [əd'hi:sɪv] **I.** *adj* haftend; **~ plaster** Heftpflaster *nt* **II.** *n no pl* Klebstoff *m*

adjust [ə'dʒʌst] **I.** *vt* **1.** (*change*) anpassen **2.** (*tailor*) umändern **II.** *vi* **to ~ to sth** sich an etw *akk* anpassen

admiration [ˌædmə'reɪʃᵊn] *n* **1.** (*respect*) Bewunderung *f* (**for** für), Hochachtung *f geh* (**for** für)

admire [əd'maɪəʳ] *vt* bewundern

admirer [əd'maɪərəʳ] *n* **1.** (*with romantic interest*) Verehrer(in) *m(f)* **2.** (*supporter*) Anhänger(in) *m(f)*

admission [əd'mɪʃᵊn] *n* **1.** (*entering*) Eintritt *m;* (*acceptance*) Zutritt *m* **2.** (*price*) Eintrittspreis *m* **3.** (*acknowledgment*) Eingeständnis *nt*

admit <-tt-> [əd'mɪt] *vt* **1.** (*acknowledge*) zugeben **2.** (*allow entrance*) hineinlassen

adolescent [ˌædə'lesᵊnt] **I.** *adj* jugendlich **II.** *n* Jugendliche(r) *f(m)*

adopt [ə'dɒpt] *vt* **1.** adoptieren **2.** (*put into practice*) annehmen; **to ~ a pragmatic approach** pragmatisch herangehen **3.** (*select*) auswählen

adoption [ə'dɒpʃᵊn] *n* **1.** Adoption *f* **2.** *no pl* (*taking on*) Annahme *f*

adorable [ə'dɔ:rəbl̩] *adj* entzückend

adore [ə'dɔ:ʳ] *vt* über alles lieben

adrenalin(e) [ə'drenəlɪn] *n* Adrenalin *nt*

adrenalin junkie *n* Adrenalinjunkie *m* (*jd, der den ständigen Nervenkitzel braucht*) **adrenalin sport** *n* Adrenalinsport *m*

adult ['ædʌlt, ə'dʌlt] **I.** *n* Erwachsene(r) *f(m)* **II.** *adj* (*grown-up*) erwachsen

advance [əd'vɑ:n(t)s] **I.** *vi* **1.** (*make progress*) Fortschritte machen **2.** (*move forward*) sich vorwärtsbewegen **II.** *vt* **1.** (*develop*) voranbringen **2.** *money* vorstrecken **III.** *n* **1.** Vorrücken *nt* **2.** (*progress*) Fortschritt *m* **IV.** *adj* **~ booking** Reservierung *f*

advanced [əd'vɑ:n(t)st] *adj* **1.** (*in skills*) fortgeschritten **2.** (*in development*) fortschrittlich

advantage [əd'vɑ:ntɪdʒ] *n* Vorteil *m;* **to take ~ of sb** (*pej*) jdn ausnutzen; **to take ~ of sth** etw nutzen

adventure [ədˈventʃəʳ] *n* Abenteuer *nt*
adventurous [ədˈventʃᵊrəs] *adj* abenteuerlich; (*daring*) abenteuerlustig
advertise [ˈædvətaɪz] **I.** *vt* Werbung machen für **II.** *vi* werben; (*in a newspaper*) inserieren **advertisement** [ədˈvɜːtɪsmənt] *n* Werbung *f;* (*in a newspaper*) Anzeige *f;* **TV ~** Werbespot *m* **advertising** [ˈædvətaɪzɪŋ] *n* Werbung *f*
advice [ədˈvaɪs] *n* Rat[schlag] *m;* **to take legal ~** sich juristisch beraten lassen; **to take sb's ~** jds Rat[schlag] *m* befolgen
advise [ədˈvaɪz] **I.** *vt* **1.** beraten **2.** (*inform*) informieren (**of** über) **II.** *vi* raten
aerial [ˈeəriəl] **I.** *adj* **~ photograph** Luftaufnahme *f* **II.** *n* Antenne *f*
aeroplane [ˈeərə(ʊ)pleɪn] *n* Flugzeug *nt*
aerosol [ˈeərəsɒl] *n* Aerosol *nt*
affair [əˈfeəʳ] *n* **1.** (*matter, event*) Angelegenheit *f* **2.** (*scandal, relationship*) Affäre *f*
affect [əˈfekt] *vt* **to ~ sb/sth** sich auf jdn/etw auswirken; (*concern*) jdn/etw betreffen
affection [əˈfekʃᵊn] *n no pl* Zuneigung *f* (**for** zu)
affectionate [əˈfekʃᵊnət] *adj* liebevoll
afford [əˈfɔːd] *vt* sich *dat* leisten
afraid [əˈfreɪd] *adj* **1.** (*frightened*) verängstigt; **to [not] be ~ [of]** [keine] Angst haben [vor *+dat*]; **to be ~ that ...** befürchten, dass ... **2.** (*expressing regret*) **I'm ~ not/so** leider nicht/ja
Africa [ˈæfrɪkə] *n* Afrika *nt*
African [ˈæfrɪkən] **I.** *n* Afrikaner(in) *m(f)* **II.** *adj* afrikanisch
after [ˈɑːftəʳ] **I.** *prep* **1.** (*later time*) nach *+dat;* **[a] quarter ~ six** AM [um] Viertel nach Sechs **2.** (*in pursuit of*) **to be ~ sb/sth** hinter jdm/etw her sein **3.** (*following*) nach *+dat;* **~ you!** nach Ihnen! **4.** (*result of*) nach *+dat;* **~ what he did to me, ...** nach dem, was er mir angetan hat, ... **5. ~ all** (*in spite of*) trotz **II.** *conj* nachdem **III.** *adv* danach; **shortly ~** kurz darauf
afternoon [ˌɑːftəˈnuːn] *n* Nachmittag *m;* **good ~!** guten Tag!; **this ~** heute Nachmittag
afterwards [ˈɑːftəwədz] *adv* (*later*) später; (*after something*) danach
again [əˈgen, əgeɪn] *adv* wieder; (*one more time*) noch einmal; **~ and ~** immer wieder; **what's her name ~?** wie ist nochmal ihr Name?
against [əˈgen(t)st] **I.** *prep* gegen *+akk;* **~ one's better judgement** wider besseres Wissen **II.** *adv* gegen; **only 14 voted ~** es gab nur 14 Gegenstimmen
age [eɪdʒ] **I.** *n* **1.** Alter *nt;* **he's about your ~** er ist ungefähr so alt wie du; **to be 45 years of ~** 45 [Jahre alt] sein; **at your ~** in deinem Alter **2.** (*era*) Zeitalter *nt;* **in this day and ~** heutzutage **3.** (*long time*) **~s** Ewigkeiten **II.** *vi* **1.** altern **2.** FOOD reifen **III.** *vt* **1.** FOOD reifen lassen; *wine* ablagern lassen **2.** (*make look older*) älter machen
age bracket *n* Altersgruppe *f,* Altersklasse *f*
aged[1] [ˈeɪdʒd] *adj* **a boy ~ 12** ein zwölfjähriger Junge; **children ~ 8 to 12** Kinder [im Alter] von 8 bis 12 Jahren
aged[2] [ˈeɪdʒɪd] **I.** *adj* alt **II.** *n* **the ~** *pl* die alten Menschen *pl*
age-group [ˈeɪdʒˌgruːp] *adj attr, inv*

1. SPORTS Altersklasse *f;* **he won an ~ medal at the championship** er gewann bei den Jahrgangsmeisterschaften eine Medaille **2.** SOCIOL Alterszugehörigkeit *f*

agency ['eɪdʒᵊn(t)si] *n* **1.** (*private business*) Agentur *f;* **estate/travel ~** Makler-/Reisebüro *nt* **2.** (*of government*) Behörde *f;* (*of public administration*) Dienststelle *f*

agenda [ə'dʒendə] *n* **1.** (*for a meeting*) Tagesordnung *f* **2.** (*for action*) Programm *nt;* **to have a hidden ~** geheime Pläne haben

agent ['eɪdʒᵊnt] *n* **1.** (*representative*) [Stell]vertreter(in) *m(f);* (*for artists*) Agent(in) *m(f)* **2.** (*of a secret service*) Agent(in) *m(f)*

aggression [ə'greʃᵊn] *n no pl* Aggression *f*

aggressive [ə'gresɪv] *adj* aggressiv

aggressor [ə'gresəʳ] *n* Angreifer(in) *m(f)*

agile ['ædʒaɪl] *adj* geschickt; **to have an ~ mind** geistig beweglich sein

ago [ə'gəʊ] *adv* **a year ~** vor einem Jahr; **[not] long ~** vor [nicht] langer Zeit; **as long ~ as 1924** schon 1924; **how long ~ was that?** wie lange ist das her?

agony ['ægəni] *n* **1.** Todesqualen *pl;* **to be in ~** große Schmerzen leiden **2.** (*fig*) **to be in an ~ of indecision/suspense** von qualvoller Unentschlossenheit/Ungewissheit geplagt werden; **oh, the ~ of defeat!** was für eine schmachvolle Niederlage!

agree [ə'gri:] **I.** *vi* **1.** (*have same opinion*) zustimmen; **I don't ~** ich bin anderer Meinung; **to ~ with sb** mit jdm einer Meinung sein **2.** (*consent to*) zustimmen; **~d!** einverstanden! **3.** *food* **to ~ with sb** jdm [gut] bekommen **4.** (*match up*) übereinstimmen **II.** *vt* **to ~ sth** mit etw *dat* einverstanden sein

agreement [ə'gri:mənt] *n* **1.** *no pl* (*same opinion*) Übereinstimmung *f;* **to reach an ~** zu einer Einigung kommen; **to be in ~ with sb** mit jdm übereinstimmen **2.** (*arrangement*) Vereinbarung *f*

agriculture ['ægri'kʌltʃəʳ] *n no pl* Landwirtschaft *f*

ahead [ə'hed] *adv* **1.** (*in front*) vorn; **the road ~** die Straße vor uns; **to put sb ~** jdn nach vorne bringen **2.** (*more advanced*) **to be way ~ of sb** jdm um einiges voraus sein

aid [eɪd] **I.** *n* **1.** *no pl* (*assistance*) Hilfe *f;* **in ~ of** zugunsten *+gen* **2.** (*helpful tool*) [Hilfs]mittel *nt;* **hearing ~** Hörgerät *nt* **II.** *vt* helfen *+dat*

aim [eɪm] **I.** *vi* **1.** (*point*) zielen (**at** auf) **2.** (*try for a time*) **to ~ for 7.30/next week** 7.30 Uhr/nächste Woche anpeilen **II.** *vt* **1.** (*point*) **to ~ sth at sb/sth** mit etw *dat* auf jdn/etw zielen **2.** (*direct at*) *remark* richten (**at** an) **III.** *n* **1.** *no pl* (*skill*) Zielen *nt;* **her ~ is good/bad** sie kann gut/schlecht zielen **2.** (*goal*) Ziel *nt*

air [eəʳ] **I.** *n* **1.** *no pl* Luft *f;* **by ~** mit dem Flugzeug; **to be [up] in the ~** (*fig*) in der Schwebe sein **2.** *no pl* TV, RADIO Äther *m;* **to be taken off the ~** *programme* abgesetzt werden; *station* den Sendebetrieb einstellen; **on [the] ~** auf Sendung **II.** *vt* **1.** (*ventilate*) lüften; *clothes* auslüften [lassen] **2.** (*express*) äußern **3.** AM (*broadcast*) senden **III.** *vi* **1.** AM TV, RADIO gesendet werden **2.** (*ventilate*) auslüften

air-conditioned *adj* klimatisiert **air conditioning, AC** *n no pl* **1.** (*process*) Klimatisierung *f* **2.** (*plant*) Klimaanlage *f;* **to have ~** mit einer Klimaanlage ausgestattet sein; **to turn the ~ down/up** die Klimaanlage schwächer/stärker einstellen **aircraft** <*pl* -> *n* Luftfahrzeug *nt* **airfield** *n* Flugplatz *m* **air force** *n* Luftwaffe *f,* Luftstreitkräfte *pl* **air hostess** *n* BRIT, AUS (*dated*) Stewardess *f* **airline** *n* Fluggesellschaft *f* **airmail I.** *n no pl* Luftpost *f* **II.** *vt* per Luftpost schicken **airplane** *n* AM *see* **aeroplane airport** *n* Flughafen *m* **air rage** *n* Randale *f* im Flugzeug **air terminal** *n* [Air]terminal *nt* **air ticket** *n* Flugschein *m* **airtight** *adj* luftdicht; (*fig*) hieb- und stichfest

aisle [aɪl] *n* Gang *m; of church* Seitenschiff *nt*

alarm [ə'lɑːm] **I.** *n* **1.** *no pl* (*worry*) Angst *f* **2.** (*signal*) Alarm *m* **3.** (*alarm clock*) Wecker *m* **II.** *vt* **1.** (*worry*) beunruhigen **2.** (*warn of danger*) alarmieren

album ['ælbəm] *n* Album *nt*

alcohol ['ælkəhɒl] *n no pl* Alkohol *m*

alcoholic [ˌælkə'hɒlɪk] **I.** *n* Alkoholiker(in) *m(f)* **II.** *adj person* alkoholsüchtig; *drink* alkoholisch

alert [ə'lɜːt] **I.** *adj* **1.** (*mentally*) aufgeweckt **2.** (*watchful*) wachsam; (*attentive*) aufmerksam **II.** *n* **1.** (*alarm*) Alarmsignal *nt;* **red ~** höchste Alarmstufe **2.** *no pl* (*period of watchfulness*) Alarmbereitschaft *f* **III.** *vt* **to ~ sb to sth 1.** (*notify*) jdn auf etw *akk* aufmerksam machen **2.** (*warn*) jdn vor etw *dat* warnen

alien ['eɪliən] **I.** *adj* **1.** (*foreign*) ausländisch **2.** (*strange*) fremd **II.** *n* **1.** (*foreigner*) Ausländer(in) *m(f)* **2.** (*from space*) Außerirdische(r) *f(m)*

alike [ə'laɪk] **I.** *adj* **1.** (*identical*) gleich **2.** (*similar*) ähnlich **II.** *adv* **1.** (*similarly*) gleich; **to look ~** sich *dat* ähnlich sehen **2.** (*both*) gleichermaßen

alive [ə'laɪv] *adj* **1.** lebendig, lebend; **to be ~** leben, am Leben sein; **to keep sb ~** jdn am Leben erhalten **2.** (*aware*) **to be ~ to sth** sich *dat* einer S. *gen* bewusst sein

all [ɒːl] **I.** *adj* **1.** + *pl n* (*every one of*) alle; **~ her children** alle ihre Kinder; **of ~ the stupid things to do!** das ist ja wohl zu blöd!; **on ~ fours** auf allen Vieren; **~ the people** alle [Leute]; **why her, of ~ people?** warum ausgerechnet sie?; **~ the others** alle anderen **2.** + *sing n* (*the whole (amount) of*) der/die/das ganze; **~ her life** ihr ganzes Leben; **~ the time** die ganze Zeit; **~ week** die ganze Woche; **for ~ her money** trotz ihres ganzen Geldes **3.** + *sing n* (*every type of*) jede(r, s); **people of ~ ages** Menschen jeden Alters **4.** (*the greatest possible*) all; **in ~ honesty** ganz ehrlich; **with ~ due respect, ...** bei allem Respekt, ...; **in ~ probability** aller Wahrscheinlichkeit nach; **she denied ~ knowledge of him** sie stritt ab, irgendetwas über ihn zu wissen; **beyond ~ doubt** jenseits allen Zweifels **II.** *pron* **1.** (*every one*) alle; **we saw ~ of them** wir haben [sie] alle gesehen; **the best of ~** der Beste von allen; **~ but one of the pupils took part** bis auf einen Schüler nahmen alle teil **2.** (*everything*) alles; **tell me ~ about it** erzähl mir alles darüber; **first of** ~ zuerst; **most of** ~ am meisten; **most of ~, I'd like to be ...** aber am liebsten wäre ich ...; ~ **in one** alles in einem; **to give one's** ~ alles geben; **and** ~ (*fam*) und all dem; **what with the fog and** ~ bei dem Nebel und so; ~ **I want is to be left alone** ich will nur in Ruhe gelassen werden; ~ **it takes is a bit of luck** man braucht nur etwas Glück; **that's ~ I need right now** das hat mir jetzt gerade noch gefehlt; **for ~ I care, ...** von mir aus ...; **for ~ I know, ...** soviel ich weiß ... **3.** (*for emphasis*) **at** ~ überhaupt; **nothing at** ~ überhaupt nichts; **not at ~, it was a pleasure** keine Ursache, es war mir ein Vergnügen ▶ **and** ~ (*sl: as well*) auch; **get one for me and** ~ bring mir auch einen; ~ **in** ~ alles in allem; ~ **told** insgesamt; **~'s well that ends well** (*prov*) Ende gut, alles gut **III.** *adv* **1.** (*entirely*) ganz; **it's ~ about money these days** heutzutage geht es nur ums Geld; **she's been ~ over the world** sie war schon überall auf der Welt; ~ **along** die ganze Zeit; **to be ~ over** aus und vorbei sein; **to be ~ for doing sth** ganz dafür sein, etw zu tun; **he's ~ talk** er ist nur ein Schwätzer; **to be ~ ears** ganz Ohr sein **2.** ~ **the ...** umso ...; ~ **the better!** umso besser!; **not ~ that ...: he's not ~ that important** so wichtig ist er nun auch wieder nicht; ~ **but** fast **3.** (*for emphasis*) **now don't get ~ upset about it** nun reg dich doch nicht so [furchtbar] darüber auf; **that's ~ very well, but ...** das ist ja schön und gut, aber ...; ~ **too ...** nur zu ... **4.** SPORTS (*to both sides*) **it's three ~** es steht drei zu drei; **15 ~** 15 beide

allegation [ælə'geɪʃᵊn] *n* Behauptung *f;* **to make an ~ against sb** jdn beschuldigen

allege [ə'ledʒ] *vt* behaupten

alleged [ə'ledʒd] *adj* angeblich

allegedly [ə'ledʒɪdli] *adv* angeblich

allergic [ə'lɜːdʒɪk] *adj* allergisch (**to** gegen)

allergy ['ælədʒi] *n* Allergie *f* (**to** gegen)

allocate ['æləkeɪt] *vt* zuteilen

allot <-tt-> [ə'lɒt] *vt* zuteilen; *time* vorsehen

allotment [ə'lɒtmənt] *n* (*assignment*) Zuteilung *f;* (*distribution*) Verteilung *f*

allow [ə'laʊ] **I.** *vt* (*permit*) erlauben; *access* gewähren; *goal* anerkennen; ~ **me** erlauben Sie ▶ **to ~ sb a free hand** jdm freie Hand lassen **II.** *vi* **if time ~s** wenn die Zeit es zulässt

allowance [ə'laʊən(t)s] *n* **1.** (*permitted amount*) Zuteilung *f;* **entertainment ~** Aufwandsentschädigung *f* **2.** (*for student*) Ausbildungsbeihilfe *f* **3.** *esp* AM (*pocket money*) Taschengeld *nt*

all right **I.** *adj* (*OK*) in Ordnung; (*approv fam: very good*) nicht schlecht *präd* **II.** *interj* **1.** (*in agreement*) o.k., in Ordnung **2.** BRIT (*fam: greeting*) **~, John?** na wie geht's, John?

almond ['ɑːmənd] *n* Mandel *f*

almost ['ɔːlməʊst] *adv* fast

alone [ə'ləʊn] *adj, adv* allein; **to leave sb ~** jdn in Ruhe lassen

along [ə'lɒŋ] **I.** *prep* entlang; **the trees ~ the river** die Bäume entlang dem Fluss; ~ **the way** unterwegs **II.** *adv* **to bring ~** mitbringen; **all ~** die ganze Zeit; ~ **with** [zusammen] mit

alongside [əˌlɒŋ'saɪd] **I.** *prep* neben +*dat* **II.** *adv* daneben

aloud [ə'laʊd] *adv* laut
alphabet ['ælfəbet] *n* Alphabet *nt*
alphabetical [ælfə'betɪkᵊl] *adj* alphabetisch
Alps [ælps] *n pl* **the ~** die Alpen
already [ɔːl'redi] *adv* schon, bereits
also ['ɔːlsəʊ] *adv* **1.** (*too*) auch **2.** (*furthermore*) außerdem
altar ['ɔːltəʳ] *n* Altar *m*
alter ['ɔːltəʳ] **I.** *vt* ändern **II.** *vi* sich ändern
alteration [ˌɔːltə'reɪʃᵊn] *n* Änderung *f*
alternate I. *vi* ['ɔːltəneɪt] abwechseln **II.** *adj* [ɔːl'tɜːnət] **1.** (*by turns*) abwechselnd **2.** (*alternative*) alternativ
alternative [ɔːl'tɜːnətɪv] **I.** *n* Alternative *f* (**to** zu) **II.** *adj* alternativ; **~ date** Ausweichtermin *m*
alternatively [ɔːl'tɜːnətɪvli] *adv* statt dessen
although [ɔːl'ðəʊ] *conj* obwohl
altitude ['æltɪtjuːd] *n* Höhe *f*
altogether [ˌɔːltə'geθəʳ] *adv* **1.** (*completely*) völlig **2.** (*in total*) insgesamt
always ['ɔːlweɪz] *adv* **1.** (*at all times*) immer **2.** (*as last resort*) immer noch
am [æm, əm] *1st pers sing of* **be**
a.m. [ˌeɪ'em] *abbrev of* **ante meridiem**: **at 6 ~** um sechs Uhr morgens
amaze [ə'meɪz] *vt* erstaunen; **to be ~d by sth** über etw *akk* verblüfft sein
amazing [ə'meɪzɪŋ] *adj* **1.** (*very surprising*) erstaunlich **2.** (*excellent*) toll
ambassador [æm'bæsədəʳ] *n* Botschafter(in) *m(f)* (**to** in)
ambassadress <*pl* -es> [æm'bæsədɑːrəs] *n* (*dated*) **1.** (*female ambassador*) Botschafterin *f* **2.** (*wife of ambassador*) Gattin *f* eines Botschafters
ambition [æm'bɪʃᵊn] *n* **1.** *no pl* (*wish to succeed*) Ehrgeiz *m* **2.** (*aim*) Ambition[en] *f*[*pl*]
ambulance ['æmbjələn(t)s] *n* Krankenwagen *m*
ambush ['æmbʊʃ] **I.** *vt* **to be ~ed** aus dem Hinterhalt überfallen werden **II.** *n* Überfall *m* aus dem Hinterhalt
America [ə'merɪkə] *n* Amerika *nt*
American [ə'merɪkən] **I.** *adj* amerikanisch **II.** *n* Amerikaner(in) *m(f)*
ammunition [ˌæmjə'nɪʃᵊn] *n no pl* Munition *f*; **~ depot/dump** Munitionslager *nt*
amnesia [æm'niːzɪə] *n* Amnesie *f*
among [ə'mʌŋ], **amongst** [ə'mʌŋst] *prep* BRIT **1.** (*between*) unter +*dat;* **~ friends** unter Freunden; **talk about it ~ yourselves** besprecht es mal unter euch; **they discussed it ~ themselves** sie besprachen es untereinander; **to divide up/distribute sth ~ sb/sth** etw unter jdm/etw aufteilen/verteilen **2.** (*as part of*) **~ her talents are singing and dancing** zu ihren Talenten zählen Singen und Tanzen; [**just**] **one ~ many** [nur] eine(r, s) von vielen **3.** (*in midst of*) zwischen +*akk o dat,* inmitten *gen;* **he fled/stood ~ the trees** er flüchtete zwischen die Bäume/stand zwischen den Bäumen; **a house ~ the hills** ein Haus in den Bergen; **to hide ~ sth** sich *akk* in etw *dat* verstecken **4.** (*in addition to*) zusätzlich zu +*dat;* **~ other things** unter anderem; **~ others** unter anderen **5.** (*according to*) **~ sb** unter jdm
amount [ə'maʊnt] **I.** *n* Menge *f* **II.** *vi* **1.** (*add up to*) **to ~ to sth** sich auf etw *akk* belaufen **2.** (*be successful*) **he'll never ~ to much** er wird es nie zu etwas bringen
ample <-r, -st> ['æmpl] *adj* **1.** (*plentiful*) reichlich **2.** (*large*) groß

amuse [ə'mju:z] **I.** *vt* amüsieren **II.** *vi* unterhalten

amusing [ə'mju:zɪŋ] *adj* amüsant; **that's** [**not**] **very** ~ das ist [nicht] sehr witzig

an [æn, ᵊn] *art indef* ein(e) (*unbestimmter Artikel vor Vokalen oder stimmlosem h*); *see also* **a**

analyse ['ænᵊlaɪz] *vt* analysieren

analysis <*pl* -ses> [ə'næləsɪs, *pl* -si:z] *n* **1.** Analyse *f* **2.** PSYCH [Psycho]analyse *f;* ▸ **in the final** ~ letzten Endes

analyze *vt* AM *see* **analyse**

ancestor ['ænsestəʳ] *n* Vorfahr[e](in) *m(f)*

anchor ['æŋkəʳ] **I.** *n* Anker *m* **II.** *vt* verankern **III.** *vi* ankern

ancient ['eɪn(t)ʃᵊnt] *adj* alt; (*fam: very old*) uralt; ~ **Rome** das antike Rom

and [ænd, ənd] *conj* und; **four hundred** ~ **twelve** vierhundert[und]zwölf; **more** ~ **more** immer mehr; ~ **so on** und so weiter

angel ['eɪndʒᵊl] *n* Engel *m*

anger ['æŋgəʳ] **I.** *n no pl* Ärger *m* (**at** über); (*fury*) Wut *f* (**at** auf) **II.** *vt* ärgern; (*more violently*) wütend machen

angle ['æŋgl̩] *n* **1.** Winkel *m;* **at an** ~ **of 20°** in einem Winkel von 20° **2.** (*perspective*) Blickwinkel *m*

Anglican ['æŋglɪkən] **I.** *adj* anglikanisch **II.** *n* Anglikaner(in) *m(f)*

angry ['æŋgri] *adj* (*annoyed*) verärgert; (*stronger*) zornig

animal ['ænɪmᵊl] *n* Tier *nt*

ankle ['æŋkl̩] *n* [Fuß]knöchel *m*

anniversary [ænɪ'vɜ:sᵊri] *n* Jahrestag *m;* ~ **party** Jubiläumsparty *f*

announce [ə'naʊn(t)s] *vt* bekannt geben; *result* verkünden

announcement [ə'naʊn(t)smənt] *n* Bekanntmachung *f;* (*on train, at airport*) Durchsage *f;* (*on radio*) Ansage *f;* **to make an** ~ **about sth** etw mitteilen

announcer [ə'naʊn(t)səʳ] *n* [Radio-/Fernseh]sprecher(in) *m(f)*

annoy [ə'nɔɪ] *vt* ärgern

annoying [ə'nɔɪɪŋ] *adj* ärgerlich

annual ['ænjuəl] *adj* jährlich; ~ **income** Jahreseinkommen *nt*

anonymous [ə'nɒnɪməs] *adj* anonym

another [ə'nʌðəʳ] **I.** *adj* **1.** (*one more*) noch eine(r, s) **2.** (*similar to*) ein zweiter/zweites/eine zweite; **the Gulf War could have been** ~ **Vietnam** der Golfkrieg hätte ein zweites Vietnam sein können **3.** (*not the same*) ein anderer/anderes/eine andere; **that's** ~ **story** das ist eine andere Geschichte **II.** *pron no pl* **1.** (*different one*) ein anderer/eine andere/ein anderes; **one way or** ~ irgendwie **2.** (*additional one*) noch eine(r, s); **one piece after** ~ ein Stück nach dem anderen **3.** (*each other*) **one** ~ einander

ansafone®, ansaphone® ['ɑ:n(t)səfəʊn] *n* BRIT Anrufbeantworter *m*

answer ['ɑ:n(t)səʳ] **I.** *n* **1.** Antwort *f* (**to** auf); **there was no** ~ (*telephone*) es ist keiner rangegangen **2.** MATH Ergebnis *nt;* ~ **to a problem** Lösung *f* eines Problems **II.** *vt* beantworten; *door* öffnen; **to** ~ **the telephone** ans Telefon gehen; **to** ~ **sb** jdm antworten **III.** *vi* antworten; **nobody ~ed** (*telephone*) es ist keiner rangegangen

answerphone ['ɑ:n(t)səfəʊn] *n* BRIT Anrufbeantworter *m*

ant [ænt] *n* Ameise *f*

Antarctic [æn'tɑ:ktɪk] **I.** *n* **the** ~ die

Antarktis **II.** *adj* antarktisch; ~ **expedition** Antarktisexpedition *f;* ~ **Ocean** südliches Eismeer

antenna [æn'tenə] *n* **1.** <*pl* -nae> *of an insect* Fühler *m* **2.** <*pl* -s> (*aerial*) Antenne *f*

antibiotic [-baɪ'ɔtɪk] **I.** *n* Antibiotikum *nt* **II.** *adj* antibiotisch **anti-carcinogenic** [ˌæntɪˌkɑːsɪnə(ʊ)'dʒenɪk] *adj* krebshemmend

anticipation [ænˌtɪsɪ'peɪʃᵊn] *n* Erwartung *f*

anticlockwise *adv* BRIT, AUS gegen den Uhrzeigersinn

antidote ['æntɪdəʊt] *n* Gegenmittel *nt*

antique [æn'tiːk] **I.** *n* Antiquität *f;* ~ **dealer** Antiquitätenhändler(in) *m(f)* **II.** *adj* antik

antiquity [æn'tɪkwəti] *n* **1.** *no pl* (*ancient times*) Altertum *nt* **2. antiquities** *pl* Altertümer

antisocial *adj* unsozial

antisocial behaviour *n* Erregung *f* öffentlichen Ärgernisses; ~ **order** gerichtliche Verfügung wegen Erregung öffentlichen Ärgernisses

anti-spam *adj* COMPUT anti-Spam-

anxiety [æŋ'zaɪəti] *n no pl* Sorge *f,* Angst *f*

anxious ['æŋ(k)ʃəs] *adj* **1.** (*concerned*) besorgt **2.** (*eager*) bestrebt; **to be ~ for sth** ungeduldig auf etw *akk* warten

any [eni, əni] **I.** *adj* **1.** (*in questions, conditional*) [irgend]ein(e); **do you have ~ brothers and sisters?** haben Sie Geschwister?; **if it's of ~ help** [**at all**] wenn das irgendwie hilft **2.** (*with negative*) **I haven't** [**got**] **~ money** ich habe kein Geld **3.** (*every*) jede(r, s); **~ time** jederzeit **4.** (*with pl n*) irgendwelche; **~ number** beliebig viele; **~ old** jede(r, s) x-beliebige **II.** *pron* **1.** (*one of many*) eine(r, s); **do you have ~** [**at all**]**?** haben Sie [überhaupt] welche? **2.** (*some of a quantity*) welche(r, s); **hardly ~** kaum etwas **3.** (*with negative*) **I haven't seen ~ of his films** ich habe keinen seiner Filme gesehen; **don't you have ~ at all?** haben Sie denn überhaupt keine? **4.** (*each*) jede(r, s); **~ of the cars** jedes der Autos **5.** (*replacing pl n*) irgendwelche; **~ will do** egal welche **III.** *adv* **1.** (*at all*) überhaupt; **if I have to stay here ~ longer, ...** wenn ich noch länger hierbleiben muss, ...; **are you feeling ~ better?** fühlst du dich [denn] etwas besser? **2.** (*expressing termination*) **not ~ longer/more** nicht mehr

anybody ['eniˌbɒdi] *pron* **1.** (*each person*) jede(r, s) **2.** (*someone*) jemand; **~ else for coffee?** möchte noch jemand Kaffee? **3.** (*no one*) **not ~** niemand **4.** (*unimportant person*) **he's not just ~** er ist nicht irgendwer **anyhow** ['enihaʊ] *adv* **1.** (*in any case*) sowieso **2.** (*in a disorderly way*) irgendwie **anyone** ['eniwʌn] *pron see* **anybody anything** ['eniθɪŋ] *pron* **1.** (*each thing*) alles **2.** (*something*) **is there ~ I can do to help?** kann ich irgendwie helfen?; (*in shop*) **~ else?** darf es noch was sein?; **does it look ~ like an eagle?** sieht das einem Adler irgendwie ähnlich? **3.** (*nothing*) **not ~** nichts ► **not <u>for</u> ~ [in the world]** um nichts in der Welt **anyway** ['eniweɪ], AM *a.* **anyways** ['eniweɪz] *adv* (*fam*) **1.** (*in any case*) sowieso; **what's he doing there ~?** was macht er dort überhaupt? **2.** (*well*) jedenfalls; **~!** na ja!

anywhere ['eni(h)weəʳ] *adv* **1.** (*in any place*) überall; ~ **else** irgendwo anders **2.** (*some place*) irgendwo; **I'm not getting** ~ ich komme einfach nicht weiter

apart [ə'pɑːt] *adv* **1.** (*not together*) auseinander; **to live** ~ getrennt leben **2.** *after n* (*to one side*) **joking** ~ Spaß beiseite **3.** (*except for*) ~ **from** abgesehen von

apartment [ə'pɑːtmənt] *n* Wohnung *f*

ape [eɪp] **I.** *n* [Menschen]affe *m;* ▶ **to go** ~ (*sl*) ausflippen **II.** *vt* nachahmen

apologize [ə'pɒlədʒaɪz] *vi* sich entschuldigen (**to** bei)

apology [ə'pɒlədʒi] *n* Entschuldigung *f;* **to make an** ~ um Entschuldigung bitten; **you owe him an** ~ du musst dich bei ihm entschuldigen; **please accept our apologies** wir bitten vielmals um Entschuldigung

appal <-ll->, AM *usu* **appall** [ə'pɔːl] *vt* entsetzen; **to be ~led by sth** über etw *akk* entsetzt sein

appalling [ə'pɔːlɪŋ] *adj* entsetzlich

apparatus [ˌæpəʳ'eɪtəs] *n* **1.** *no pl* (*equipment*) [**piece of**] ~ Gerät *nt* **2.** (*system*) Apparat *m*

apparent [ə'pærənt] *adj* offensichtlich; **for no** ~ **reason** aus keinem ersichtlichen Grund

apparently [ə'pærəntli] *adv* (*evidently*) offensichtlich; (*it seems*) anscheinend

appeal [ə'piːl] **I.** *vi* (*attract*) **to** ~ **to sb/sth** jdn/etw reizen; (*aim to please*) jdn/etw ansprechen **II.** *n* **1.** (*attraction*) Reiz *m* **2.** (*protest formally*) Einspruch einlegen (**against** gegen); **court of** ~ Berufungsgericht *nt* **3.** (*request*) Appell *m;* ~ **for donations** Spendenaufruf *m*

appealing [ə'piːlɪŋ] *adj* attraktiv

appear [ə'pɪəʳ] *vi* **1.** (*become visible*) erscheinen **2.** (*seem*) scheinen; **to** ~ [**to be**] **calm** ruhig erscheinen; **so it ~s** sieht ganz so aus

appearance [ə'pɪərən(t)s] *n* **1.** (*instance of appearing*) Erscheinen *nt;* (*on TV, theatre*) Auftritt *m;* **to make an** ~ auftreten **2.** *no pl* (*looks*) Aussehen *nt* **3.** (*outward aspect*) **~s** *pl* äußerer [An]schein ▶ **to all ~s** AM allem Anschein nach

appendicitis [əˌpendɪ'saɪtɪs] *n* Blinddarmentzündung *f*

appendix [ə'pendɪks, *pl* -dɪsiːz] *n* **1.** <*pl* -es> (*body part*) Blinddarm *m* **2.** <*pl* -dices *or* -es> (*in book*) Anhang *m*

appetite ['æpɪtaɪt] *n* Appetit *m*

applaud [ə'plɔːd] **I.** *vi* Beifall klatschen **II.** *vt* **to** ~ **sb** jdm applaudieren

applause [ə'plɔːz] *n no pl* [**a round of**] ~ Applaus *m;* **loud** ~ tosender Beifall

apple ['æpl] *n* Apfel *m*

apple juice *n* Apfelsaft *m* **apple sauce** *n no pl* Apfelmus *nt*

appliance [ə'plaɪən(t)s] *n* Gerät *nt*

applicant ['æplɪkənt] *n* Bewerber(in) *m(f)* (**for** für)

application [ˌæplɪ'keɪʃən] *n* **1.** *for a job* Bewerbung *f* (**for** um); *for a permit* Antrag *m* (**for** auf) **2.** *no pl* (*process of requesting*) Anfordern *nt;* **on** ~ auf Anfrage

apply <-ie-> [ə'plaɪ] **I.** *vi* **1.** (*formally request*) **to** ~ [**to sb**] [**for sth**] (*for a job*) sich [bei jdm] [um etw *akk*] bewerben **2.** (*pertain*) gelten; **to** ~ **to** betreffen **II.** *vt* **1.** (*put on*) anwenden (**to** auf) **2.** (*use*) **to** ~ **the brakes** bremsen; **to** ~ **common sense** sich des gesunden Menschenverstands bedienen

appointment [ə'pɔɪntmənt] *n* **1.** *no pl* (*being selected*) Ernennung *f* (**as** zu) **2.** (*official meeting*) Verabredung *f;* **dental ~** Zahnarzttermin *m;* **by ~ only** nur nach Absprache

appointment book *n* Terminbuch *nt*

appreciate [ə'pri:ʃieɪt] **I.** *vt* **1.** (*value*) schätzen; **I'd ~ it if ...** könnten Sie ... **2.** (*understand*) Verständnis haben für; **to ~ that ...** verstehen, dass ... **II.** *vi* **to ~ in value** im Wert steigen

appreciative [ə'pri:ʃiətɪv] *adj* **1.** (*grateful*) dankbar (**of** für) **2.** (*showing appreciation*) anerkennend

apprehensive [ˌæprɪ'hen(t)sɪv] *adj* besorgt

apprentice [ə'prentɪs] **I.** *n* Auszubildende(r) *f(m);* **~ carpenter** Tischlerlehrling *m* **II.** *vt* **to be ~d to sb** bei jdm in die Lehre gehen

approach [ə'prəʊtʃ] **I.** *vt* **1.** (*come closer*) **to ~ sb/sth** sich jdm/etw nähern; **it's ~ing lunchtime** es geht auf Mittag zu **2.** (*ask*) **to ~ sb** jdn ansprechen (**about** auf) **II.** *vi* sich nähern **III.** *n* **1.** (*coming*) Nähern *nt;* **at the ~ of winter ...** wenn der Winter naht, ... **2.** (*preparation to land*) [Lande]anflug *m* **3.** (*appeal*) Herantreten *nt;* **to make an ~ to sb** an jdn herantreten **4.** (*proposal*) Vorstoß *m;* **to make an ~ to sb** sich an jdn wenden

appropriate [ə'prəʊpriət] *adj* **1.** (*suitable*) angemessen, passend **2.** (*relevant*) entsprechend

approval [ə'pru:vəl] *n* **1.** (*praise*) Anerkennung *f* **2.** (*consent*) Zustimmung *f*

approve [ə'pru:v] **I.** *vi* **1.** (*agree with*) **to ~ of sth** etw *dat* zustimmen **2.** (*like*) **to ~/not ~ of sb** etwas/nichts von jdm halten **II.** *vt* (*permit*) genehmigen; (*consent*) billigen

approximate *adj* [ə'prɒksɪmət] ungefähr; **the ~ cost will be about $600** die Kosten belaufen sich auf ca. 600 Dollar; **~ number** [An]näherungswert *m*

approximately [ə'prɒksɪmətli] *adv* ungefähr

apricot ['eɪprɪkɒt] *n* Aprikose *f,* Marille *f* ÖSTERR

April ['eɪprəl] *n* April *m; see also* **February**

apron ['eɪprən] *n* Schürze *f*

apt [æpt] *adj* **1.** (*appropriate*) passend; *remark* treffend **2.** (*likely*) **to be ~ to do sth** dazu neigen, etw zu tun

aquarium <*pl* -s *or* -ria> [ə'kweəriəm, *pl* -riə] *n* Aquarium *nt*

Aquarius [ə'kweəriəs] *n* Wassermann *m*

aquatic [ə'kwætɪk] *adj* aquatisch; **~ plant** Wasserpflanze *f*

Arab ['ærəb] *n* Araber(in) *m(f)*

Arabian [ə'reibiən] *adj* arabisch

Arabic ['ærəbɪk] **I.** *n* Arabisch *nt* **II.** *adj* arabisch

arcade [ɑ:'keɪd] *n* Arkade *f;* [**shopping**] **~** [Einkaufs]Passage *f*

arch[1] [ɑ:tʃ] **I.** *n* Bogen *m;* **~ of the foot** Fußgewölbe *nt* **II.** *vi* sich wölben

arch[2] [ɑ:tʃ] *adj* verschmitzt

archaeologist [ˌɑ:ki'ɒlədʒɪst] *n* Archäologe, Archäologin *m, f*

archaeology [ˌɑ:ki'ɒlədʒi] *n* Archäologie *f*

architect ['ɑ:kɪtekt] *n* Architekt(in) *m(f)*

architecture ['ɑ:kɪtektʃər] *n* Architektur *f*

Arctic ['ɑ:ktɪk] *n* **the ~** die Arktis

Arctic Circle *n* nördlicher Polarkreis
are [ɑːʳ] *see* **be**
area [ˈeəriə] *n* **1.** (*region*) Gebiet *nt;* **~ of the brain** Hirnregion *f* **2.** (*surface measure*) Fläche *f;* **~ of a circle** Kreisfläche *f* **3.** (*approximately*) **in the ~ of ...** ungefähr ...
area code *n* AM, AUS (*dialling code*) Vorwahl *f*
arena [əˈriːnə] *n* Arena *f*
argue [ˈɑːgjuː] *vi* **1.** (*disagree*) [sich] streiten **2.** (*reason*) argumentieren; **to ~ against/for sth** sich gegen/für etw *akk* aussprechen
argument [ˈɑːgjəmənt] *n* **1.** Auseinandersetzung *f* **2.** (*case*) Argument *nt*
arid [ˈærɪd] *adj* dürr; **~ climate** Trockenklima *nt*
Aries [ˈeəriːz] *n* ASTROL Widder *m*
arise <arose, arisen> [əˈraɪz] *vi* sich ergeben; **should the need ~, ...** sollte es notwendig werden, ...
arisen [əˈrɪzᵊn] *pp of* **arise**
aristocracy [ˌærɪˈstɒkrəsi] *n + sing/pl vb* Aristokratie *f*
aristocrat [ˈærɪstəkræt] *n* Aristokrat(in) *m(f)*
arithmetic I. *n* [əˈrɪθmətɪk] Arithmetik *f* **II.** *adj* [ˌærɪθˈmetɪk] arithmetisch
ark [ɑːk] *n* (*boat*) Arche *f;* **Noah's ~** die Arche Noah
arm[1] [ɑːm] *n* ANAT, GEOG Arm *m;* **on one's ~** am Arm ▸ **to cost an ~ and a leg** Unsummen kosten
arm[2] [ɑːm] **I.** *vt* **1.** (*supply with weapons*) bewaffnen; **to ~ oneself** (*fig*) sich wappnen **2.** (*prime*) *bomb* scharfmachen **II.** *n* **~s** *pl* Waffen *pl;* **under ~s** kampfbereit
armchair *n* Sessel *m*
armed [ɑːmd] *adj* bewaffnet
armour, AM **armor** [ˈɑːməʳ] *n no pl* **1.** HIST Rüstung *f;* **suit of ~** Panzerkleid *nt* **2.** (*tanks*) Panzerfahrzeuge *pl;* **~ plate** Panzerplatte *f*
armoured [ˈɑːməd] *adj* gepanzert; **~ car** Panzer[späh]wagen *m*
armpit *n* Achselhöhle *f*
army [ˈɑːmi] *n* Armee *f;* **the ~** das Heer; **in the ~** beim Militär
aroma [əˈrəʊmə] *n* Duft *m*
aromatherapy [ərəʊməˈθerəpi] *n* Aromatherapie *f*
aromatic [ˌærə(ʊ)ˈmætɪk] *adj* aromatisch
arose [əˈrəʊz] *pt of* **arise**
around [əˈraʊnd] **I.** *adv* **1.** (*round*) herum; **to get ~ to doing sth** endlich dazu kommen, etw zu tun; **to show sb ~** jdn herumführen **2.** (*round about*) rundum; **to [have a] look ~** sich umsehen **3.** (*in different directions*) umher; **to wave one's arms ~** mit den Armen [herum]fuchteln; **to get ~** herumkommen **4.** (*nearby*) in der Nähe; **will you be ~ next week?** bist du nächste Woche da? ▸ **see you ~** bis demnächst mal **II.** *prep* **1.** um *+akk;* **all ~ the house** um das ganze Haus herum; **from all ~ the world** aus aller Welt; **to stand ~** herumstehen **2.** (*approximately*) ungefähr; **~ 12:15** um ungefähr 12.15 Uhr
arouse [əˈraʊz] *vt* **1.** (*stir*) erwecken **2.** (*sexually excite*) erregen
arrange [əˈreɪndʒ] **I.** *vt* **1.** (*organize*) arrangieren; *date* vereinbaren **2.** (*put in order*) ordnen **II.** *vi* festlegen; **to ~ to do sth** etw vereinbaren; **to ~ for sb to do/have sth** etw für jdn organisieren
arrangement [əˈreɪndʒmənt] *n* **1.** (*preparations*) **~s** *pl* Vorbereitungen *pl*

2. (*agreement*) Abmachung *f;* **to come to an ~** zu einer Übereinkunft kommen **3.** (*ordering, a. music*) Arrangement *nt;* **an ~ of dried flowers** ein Gesteck *nt* von Trockenblumen

arrest [ə'rest] **I.** *vt* verhaften **II.** *n* Verhaftung *f*

arrival [ə'raɪvəl] *n* **1.** (*at a destination*) Ankunft *f* **2.** (*person*) Ankommende(r) *f(m);* **new ~** Baby *nt*

arrive [ə'raɪv] *vi bus etc.* ankommen; *baby, mail, season* kommen; **to ~ at a town** in einer Stadt eintreffen

arrogance ['ærəgən(t)s] *n* Arroganz *f*

arrogant ['ærəgənt] *adj* arrogant

arrow ['ærəʊ] *n* Pfeil *m*

arse [ɑːs] BRIT, AUS **I.** *n* (*vulg*) Arsch *m;* ▶ **move your ~!** beweg dich! **II.** *vi* (*vulg*) **to ~ about** herumblödeln

arson ['ɑːsən] *n* Brandstiftung *f*

art [ɑːt] *n* Kunst *f;* **~s and crafts** Kunsthandwerk *nt;* **the ~s** *pl* die Kunst

artery ['ɑːtəri] *n* **1.** ANAT Arterie *f* **2.** TRANSP Hauptverkehrsader *f*

arthritis [ɑː'θraɪtɪs] *n* Gelenkentzündung *f*

artichoke ['ɑːtɪtʃəʊk] *n* Artischocke *f*

article ['ɑːtɪkl̩] *n* **1.** Artikel *m;* **~ of value** Wertgegenstand *m* **2.** LAW Paragraph *m*

articulate I. *adj* [ɑː'tɪkjələt] **1.** *person* redegewandt **2.** *speech* verständlich **II.** *vt* [ɑː'tɪkjʊleɪt] **1.** (*express*) aussprechen **2.** (*pronounce*) artikulieren

artificial [ˌɑːtɪ'fɪʃəl] *adj* künstlich; **~ colour[ing]** Farbstoff *m;* **~ flavouring** Geschmacksverstärker *m*

artist ['ɑːtɪst] *n* Künstler(in) *m(f)*

artistic [ɑː'tɪstɪk] *adj* künstlerisch

artwork *n no pl* Illustrationen *pl*

as [æz, əz] **I.** *conj* **1.** (*while*) während **2.** (*in the way that, like*) wie; **do ~ I say!** mach, was ich sage!; **~ it happens** rein zufällig; **~ if** als ob; **~ if!** wohl kaum! **3.** (*because*) weil ▶ **~ for ...** was ... betrifft; **~ to ...** was ... angeht **II.** *prep* als; **~ a child** als Kind; **speaking ~ a mother, ...** als Mutter ...; **the news came ~ no surprise** die Nachricht war keine Überraschung; **dressed ~ a banana** als Banane verkleidet **III.** *adv* **1.** (*in comparisons*) wie; **[just] ~ ... ~ ...** [genau]so ... wie ...; **if you play ~ well ~ that, ...** wenn du so gut spielst, ... **2.** (*indicating an extreme*) **~ tall ~ 8 ft** bis zu 8 Fuß hoch; **~ little ~** nur

asbestos [æs'bestɒs] *n* Asbest *m*

ASBO, asbo ['æzbəʊ] *n acr for* **anti-social behaviour order** gerichtliche Verfügung wegen Erregung öffentlichen Ärgernisses

ascend [ə'send] **I.** *vt* hinaufsteigen **II.** *vi* aufsteigen; **Christ ~ed into heaven** Christus ist in den Himmel aufgefahren

ascent [ə'sent] *n* **1.** (*upward movement*) Aufstieg *m* **2.** (*slope*) Anstieg *m*

ash[1] [æʃ] *n* Asche *f;* **~es** *pl* Asche *f kein pl;* **to reduce to ~es** völlig niederbrennen

ash[2] [æʃ] *n* (*tree*) Esche *f*

ashamed [ə'ʃeɪmd] *adj* **to be ~ [of sb/sth]** sich [für jdn/etw] schämen; **to be ~ of oneself** sich schämen

ashore [ə'ʃɔːʳ] *adv* an Land

ashtray *n* Aschenbecher *m*

Asia ['eɪʃə] *n* Asien *nt*

Asian ['eɪʃən] **I.** *n* Asiate, Asiatin *m, f* **II.** *adj* asiatisch

aside [ə'saɪd] **I.** *adv* zur Seite; **to take**

sb ~ jdn beiseitenehmen; **to leave sth ~** etw [weg]lassen; **to put ~ some money** etwas Geld beiseitelegen **II.** *n* Nebenbemerkung *f*

ask [ɑːsk] **I.** *vt* **1.** fragen; **to ~ a question** eine Frage stellen **2.** (*request*) *favour* bitten [um]; **she ~ed me for help** sie bat mich, ihr zu helfen **3.** (*demand a price*) verlangen; **how much are they ~ing for the car?** was wollen sie für das Auto haben? **4.** (*expect*) **that's ~ing a lot!** Sie verlangen eine ganze Menge! **II.** *vi* **1.** (*request information*) fragen; **you may well ~** gute Frage; **to ~ about sb** nach jdm fragen **2.** (*request*) bitten **3.** (*wish*) **to ~ for sth** sich *dat* etw wünschen **4.** (*fig: take a risk*) **to be ~ing for sth** etw geradezu herausfordern

asking ['ɑːskɪŋ] *n* **it's yours for the ~** du kannst es gerne haben

asleep [e'sliːp] *adj* **to be ~** schlafen; **to fall ~** einschlafen

asparagus [ə'spærəgəs] *n* Spargel *m*

aspirin ['æspᵊrɪn] *n* Aspirin *nt*

ass <*pl* -es> [æs] *n* Esel *m*

assault [ə'sɔːlt] **I.** *n* Angriff *m* (**on** auf) **II.** *vt* angreifen

assemble [ə'sembl] **I.** *vi* sich versammeln **II.** *vt* zusammenbauen

assembly [ə'sembli] *n* **1.** (*gathering*) Versammlung *f* **2.** TECH Montage *f*; **~ line** Fließband *nt*

assent [ə'sent] *n* Zustimmung *f*

assertive [ə'sɜːtɪv] *adj* **to be ~** Durchsetzungsvermögen zeigen

assess [ə'ses] *vt* **1.** (*evaluate*) einschätzen **2.** (*tax*) **to be ~ed** *person* steuerlich geschätzt werden

assessment [ə'sesmənt] *n* **1.** *of damage* Schätzung *f* **2.** *of tax* Veranlagung *f* **3.** SCH, UNIV Einstufung *f*

asset ['æset] *n* **1.** (*good quality*) Pluspunkt *m* **2.** (*valuable person*) Bereicherung *f*; (*useful thing*) Vorteil *m* **3.** COMM **~s** *pl* Vermögenswerte *pl*

assignment [ə'saɪnmənt] *n* Aufgabe *f*

assist [ə'sɪst] *vt, vi* helfen (**with** bei)

assistance [ə'sɪstᵊn(t)s] *n* Hilfe *f*

assistant [ə'sɪstᵊnt] **I.** *n* Assistent(in) *m(f)*; (*in shop*) Verkäufer(in) *m(f)* **II.** *adj manager* stellvertretend

association [əˌsəʊʃi'eɪʃᵊn] *n* **1.** (*organization*) Vereinigung *f* **2.** *no pl* (*involvement*) Verbundenheit *f*; **in ~ with** in Verbindung mit **3.** (*mental connection*) Assoziation *f*

assorted [ə'sɔːtɪd] *adj* gemischt

assortment [ə'sɔːtmənt] *n* Sortiment *nt*

assume [ə'sjuːm] *vt* **1.** (*regard as true*) annehmen **2.** (*adopt*) annehmen **3.** (*take on*) **to ~ office** sein Amt antreten

assumption [ə'sʌm(p)ʃᵊn] *n* Annahme *f*; **on the ~ that ...** wenn man davon ausgeht, dass ...

assurance [ə'ʃʊərᵊn(t)s] *n* **1.** (*self-confidence*) Selbstsicherheit *f* **2.** (*promise*) Zusicherung *f*

assure [ə'ʃʊəʳ] *vt* **1.** (*confirm certainty*) zusichern; **to ~ oneself of sth** sich *dat* etw sichern **2.** (*promise*) **to ~ sb of sth** jdm etw zusichern

asthma ['æsθmə] *n* Asthma *nt*

asthmatic [æsθ'mætɪk] **I.** *n* Asthmatiker(in) *m(f)* **II.** *adj* asthmatisch

astonish [ə'stɒnɪʃ] *vt* erstaunen

astonishing [ə'stɒnɪʃɪŋ] *adj* erstaunlich

astonishment [ə'stɒnɪʃmənt] *n* Erstaunen *nt*; **to stare in ~** verblüfft starren

astrology [ə'strɒlədʒi] *n* Astrologie *f*
astronaut ['æstrənɔːt] *n* Astronaut(in) *m(f)*
astronomer [ə'strɒnəməʳ] *n* Astronom(in) *m(f)*
astronomy [ə'strɒnəmi] *n* Astronomie *f*
asylum [ə'saɪləm] *n* Asyl *nt;* ~ **seeker** Asylbewerber(in) *m(f)*
at [æt, ət] *prep* **1.** (*in location of*) an *+dat;* ~ **the baker's** beim Bäcker; ~ **home** zu Hause; ~ **the museum** im Museum; **the man ~ number twelve** der Mann in Nummer zwölf; ~ **work** bei der Arbeit **2.** (*during time of*) ~ **the election** bei der Wahl; ~ **Christmas** an Weihnachten; ~ **the weekend** am Wochenende; ~ **10:00** um 10:00 Uhr; ~ **the moment** im Moment; ~ **this stage** bei diesem Stand; ~ **a/the time** zu diesem Zeitpunkt; ~ **the same time** (*simultaneously*) zur gleichen Zeit **3.** (*to amount of*) ~ **a distance of 50 metres** auf eine Entfernung von 50 Metern; ~ **50 kilometres per hour** mit 50 km/h; ~ **a rough guess** grob geschätzt **4.** (*in state of*) ~ **play** beim Spielen; ~ **war** im Krieg; ~ **his happiest** am glücklichsten **5.** *after adj* (*in reaction to*) über *+akk;* ~ **the thought of** bei dem Gedanken an *+akk* **6.** (*in response to*) ~ **that** daraufhin **7.** (*in ability to*) bei *+dat;* **good ~ maths** gut in Mathematik **8.** *after vb* (*repeatedly do*) an *+dat;* **to be ~ sth** mit etw *dat* beschäftigt sein ▶ ~ **all** überhaupt; **not ~ all** (*polite response*) gern geschehen; (*definitely not*) keineswegs; ~ **that** noch dazu
ate [et, eɪt] *pt of* **eat**
atheist ['eɪθiɪst] **I.** *n* Atheist(in) *m(f)* **II.** *adj* atheistisch
athlete ['æθliːt] *n* Athlet(in) *m(f)*
athletic [æθ'letɪk] *adj* athletisch, sportlich; ~ **club** Sportclub *m;* ~ **shorts** kurze Sporthose
Atlantic [ət'læntɪk] *n* **the ~ [Ocean]** der Atlantik
atlas <*pl* -es> ['ætləs] *n* Atlas *m*
atmosphere ['ætməsfɪəʳ] *n* Atmosphäre *f a. fig*
atrocious [ə'trəʊʃəs] *adj* grässlich; *weather, food* scheußlich
attach [ə'tætʃ] **I.** *vt* **1.** (*fix*) befestigen (**to** an) **2.** (*connect*) verbinden (**to** mit) **3.** (*send as enclosure*) **to ~ sth [to sth]** etw [etw *dat*] beilegen **4.** (*assign*) **to be ~ed to sth** etw *dat* zugeteilt sein **5.** (*associate*) *conditions* knüpfen (**to** an) **II.** *vi* **no blame ~es to you** dich trifft keine Schuld
attachment [ə'tætʃmənt] *n* **1.** (*fondness*) Sympathie *f* **2.** *no pl* (*assignment*) **he is on ~ to the War Office** er ist dem Kriegsministerium unterstellt **3.** COMPUT Anhang *m*
attack [ə'tæk] **I.** *n* **1.** (*assault*) Angriff *m* (**on** auf) **2.** (*bout*) Anfall *m* **II.** *vt* angreifen; *criminal* überfallen **III.** *vi* angreifen
attempt [ə'tem(p)t] **I.** *n* Versuch *m;* **make an ~** versuchen **II.** *vt* versuchen
attend [ə'tend] **I.** *vt* **1.** (*be present at*) besuchen; **to ~ a funeral/wedding** zu einer Beerdigung/Hochzeit gehen **2.** (*care for*) [ärztlich] behandeln **II.** *vi* (*be present*) teilnehmen
attendance [ə'tendᵊn(t)s] *n* **1.** (*being present*) Anwesenheit *f* **2.** (*number of people present*) Besucherzahl *f*
attendant [ə'tendᵊnt] *n* Aufseher(in)

m(f); (*in swimming pool*) Bademeister(in) *m(f)*; **flight ~** Flugbegleiter(in) *m(f)*; **museum ~** Museumswärter(in) *m(f)*

attention [ə'ten(t)ʃᵊn] *n* **1.** (*notice*) Aufmerksamkeit *m*; **~!** Achtung!; **may I have your ~, please?** dürfte ich um Ihre Aufmerksamkeit bitten?; **to pay ~ to sb** jdm Aufmerksamkeit schenken **2.** (*care*) Pflege *f* **3.** (*in letters*) **for the ~ of** zu Händen von

attic ['ætɪk] *n* Dachboden *m*; **in the ~** auf dem Dachboden

attitude ['ætɪtju:d] *n* Haltung *f*; **to take the ~ that ...** die Meinung vertreten, dass ...

attorney [ə'tɜ:rni] *n* AM Anwalt, Anwältin *m, f*

attract [ə'trækt] *vt* anziehen

attraction [ə'trækʃᵊn] *n* **1.** *no pl* PHYS Anziehungskraft *f* **2.** *no pl* (*between people*) Anziehung *f*; **she felt an ~ to him** sie fühlte sich zu ihm hingezogen **3.** (*entertainment*) Attraktion *f*

attractive [ə'træktɪv] *adj* attraktiv

auction ['ɔ:kʃᵊn] **I.** *n* Auktion *f*, Versteigerung *f*; **to put sth up for ~** etw zur Versteigerung anbieten; **to be sold at ~** versteigert werden **II.** *vt* **to ~ [off]** versteigern

audible ['ɔ:dəbl̩] *adj* hörbar

audience ['ɔ:diən(t)s] *n* + *sing/pl vb* Publikum *nt*; THEAT *a.* Besucher *pl*; TV Zuschauer *pl*

auditorium <*pl* -s *or* -ria> [ˌɔ:dɪ'tɔ:riəm, *pl* -riə] *n* THEAT Zuschauerraum *m*

August ['ɔ:gəst] *n* August *m*; *see also* **February**

aunt [ɑ:nt] *n* Tante *f*

Australia [ɒs'trəɪliə] *n* Australien *nt*

Australian [ɒs'trəɪliən] **I.** *n* Australier(in) *m(f)* **II.** *adj* australisch

Austria ['ɒstriə] *n* Österreich *nt*

Austrian ['ɒstriən] **I.** *n* **1.** (*person*) Österreicher(in) *m(f)* **2.** (*dialect*) Österreichisch *nt* **II.** *adj* österreichisch

authentic [ɔ:'θentɪk] *adj* authentisch

author ['ɔ:θəʳ] *n* Schriftsteller(in) *m(f)*

authoress <*pl* -es> ['ɔ:θᵊres] *n* Autorin *f*

authority [ɔ:'θɒrəti] *n* **1.** *no pl* (*right of control*) Autorität *f*; **in ~** verantwortlich **2.** *no pl* (*permission*) Befugnis *f*; **to have the ~ to do sth** befugt/bevollmächtigt sein, etw zu tun **3.** (*expert*) **an ~ on microbiology** eine Autorität auf dem Gebiet der Mikrobiologie **4.** (*organization*) Behörde *f*; **the authorities** *pl* die Behörden *pl*

authorization [ˌɔ:θᵊraɪ'zeɪʃᵊn] *n* Genehmigung *f*

authorize ['ɔ:θᵊraɪz] *vt* genehmigen; **to ~ sb** jdn bevollmächtigen

autobiography [ˌɔ:təbaɪ'ɒgrəfi] *n* Autobiografie *f*

autograph ['ɔ:təgrɑ:f] *n* Autogramm *nt*

automatic [ˌɔ:tə'mætɪk] *adj* automatisch; **~ rifle** Selbstladegewehr *nt*; **~ washing machine** Waschautomat *m*

autumn ['ɔ:təm] *n* Herbst *m*; **in [the] ~** im Herbst; **~ term** Wintersemester *nt*

autumnal [ɔ:'tʌmnᵊl] *adj* herbstlich; **~ colours** Herbstfarben *pl*

available [ə'veɪləbl̩] *adj* **1.** (*free for use*) verfügbar; **to make ~** zur Verfügung stellen **2.** ECON erhältlich; (*in stock*) lieferbar

avalanche ['ævᵊlɑ:n(t)ʃ] *n* Lawine *f*

avenue ['ævənju:] *n* Avenue *f*

average ['ævᵊrɪdʒ] **I.** *n* Durchschnitt *m*; **on ~** im Durchschnitt; **[to be]**

[**well**] **above/below ~** [weit] über/unter dem Durchschnitt [liegen] **II.** *adj* durchschnittlich; **~ income** Durchschnittseinkommen *nt;* **~ person** Otto Normalverbraucher *m* **III.** *vt* im Durchschnitt betragen; **to ~ 40 hours a week** durchschnittlich 40 Stunden pro Woche arbeiten

avian flu ['eɪviən-] *n* Vogelgrippe *f*

aviation [ˌeɪvi'eɪʃᵊn] *n* Luftfahrt *f;* **~ industry** Flugzeugindustrie *f*

avocado <*pl* -s *or* -es> [ˌævə'kɑːdəʊ] *n* Avocado *f*

avoid [ə'vɔɪd] *vt* vermeiden

await [ə'weɪt] *vt* erwarten; **long ~ed** lang ersehnt

awake [ə'weɪk] **I.** *vi* <awoke *or* AM *a.* awaked, awoken *or* AM *a.* awaked> aufwachen, erwachen **II.** *vt* <awoke *or* AM *a.* awaked, awoken *or* AM *a.* awaked> **1.** [auf]wecken **2.** (*fig: rekindle*) wieder erwecken **III.** *adj* wach; **wide ~** hellwach

award [ə'wɔːd] **I.** *vt damages* zusprechen; *grant* gewähren **II.** *n* Auszeichnung *f*

aware [ə'weəʳ] *adj* **1.** (*knowing*) **to be ~ of sth** sich *dat* einer S. *gen* bewusst sein; **not that I'm ~ of** nicht, dass ich wüsste **2.** (*physically sensing*) **to be ~ of sb/sth** jdn/etw [be]merken

away [ə'weɪ] **I.** *adv* **1.** weg; **to be ~ on business** geschäftlich unterwegs sein; **five miles ~** [**from here**] fünf Meilen [von hier] entfernt; **~ from each other** voneinander entfernt **2.** (*all the time*) **we danced the night ~** wir tanzten die ganze Nacht durch; **to be laughing ~** ständig am Lachen sein **II.** *adj* SPORTS auswärts; **~ game** Auswärtsspiel *nt;* **~ team** Gastmannschaft *f*

awesome ['ɔːsəm] *adj* **1.** (*impressive*) beeindruckend **2.** AM (*sl: very good*) spitze

awful ['ɔːfᵊl] *adj* **1.** furchtbar; **what an ~ thing to say!** das war aber gemein von dir! **2.** (*great*) außerordentlich; **an ~ lot** eine riesige Menge

awfully ['ɔːfᵊli] *adv* furchtbar; **not ~ good** nicht besonders gut

awkward ['ɔːkwəd] *adj* **1.** (*difficult*) schwierig **2.** (*embarrassing*) peinlich; **to feel ~** sich unbehaglich fühlen

awoke [ə'wəʊk] *pt of* **awake**

awoken [ə'wəʊkᵊn] *pp of* **awake**

axe, AM **ax** [æks] *n* Axt *f*

axle ['æksl̩] *n* Achse *f*

B

B <*pl* -'s>, **b** <*pl* -'s> [biː] *n* **1.** B *nt,* b *nt; see also* **A 1 2.** MUS H *nt,* h *nt;* **~ flat** B *nt,* b *nt;* **~ sharp** His *nt,* his *nt* **3.** (*school mark*) ≈ Zwei *f,* ≈ gut

b[1] *n* AM *abbrev of* **billion** Mrd.

b[2] *n abbrev of* **born** geb.

b[3] *n* COMPUT *abbrev of* **bit** b, bt

baby ['beɪbi] **I.** *n* Baby *nt;* **to have a ~** ein Baby bekommen; **the ~ of the family** das Nesthäkchen **II.** *adj* klein; **~ carrots** Babymöhren *pl;* **~ food** Babynahrung *f*

baby carriage *n* AM Kinderwagen *m*

bachelor ['bætʃᵊləʳ] *n* Junggeselle *m*

back [bæk] **I.** *n* **1.** (*of body*) Rücken *m;* **~ to ~** Rücken an Rücken **2.** (*not front*) *of building, page* Rückseite *f; of car* Heck *nt; of chair* Lehne *f;* (*seat*[*s*] *in car*) Rücksitz[e] *m*[*pl*]

3. FBALL Verteidiger(in) *m(f)*; ▶ **at the ~ of one's mind** im Hinterkopf **II.** *adj* **1.** <backmost> (*rear*) **~ door** Hintertür *f*; **~ pocket** Gesäßtasche *f* **2.** (*of body*) **~ pain** Rückenschmerzen *pl* **III.** *adv* **1.** (*to previous place*) [wieder] zurück; **I'll be ~** ich komme wieder **2.** (*to past*) **as far ~ as I can remember** so weit ich zurückdenken kann **IV.** *vt* **1.** (*support*) unterstützen; **to ~ a horse** auf ein Pferd setzen **2.** (*drive*) **she ~ed the car into the garage** sie fuhr rückwärts in die Garage **V.** *vi car* zurücksetzen ◆ **back away** *vi* **to ~ away from sb/sth** vor jdm/etw zurückweichen ◆ **back down** *vi* nachgeben ◆ **back onto** *vi* **to ~ onto sth** hinten an etw *akk* [an]grenzen ◆ **back out** *vi* einen Rückzieher machen *fam*; **to ~ out from a contract** von einem Vertrag zurücktreten, aus einem Vertrag aussteigen *fam* ◆ **back up** *vt* **1.** (*support*) unterstützen; (*confirm*) bestätigen **2.** COMPUT *data, files* sichern **3.** (*reverse*) *car, lorry* zurücksetzen

background ['bækgraʊnd] *n* **1.** Hintergrund *m*; **~ noise** Geräuschkulisse *f* **2.** SOCIOL Herkunft *f* **3. with a ~ in ...** mit Erfahrung in ...

backing ['bækɪŋ] *n* Unterstützung *f*

backpack I. *n* Rucksack *m* **II.** *vi* mit dem Rucksack reisen **backpacker** *n* Rucksackreisende(r) *f(m)* **backside** *n* (*fam*) Hintern *m*

backup ['bækʌp] **I.** *n* **1.** (*support*) Unterstützung *f*, Hilfe *f* **2.** COMPUT Sicherung *f*, Backup *nt* **II.** *n modifier* **1.** (*emergency*) **~ plan** Notplan, m **2.** COMPUT **~ file** Sicherungskopie *f*; **~ server** Ausweichserver *m*

backward ['bækwəd] **I.** *adj* **1.** (*facing rear*) rückwärts gewandt; **a ~ step** ein Schritt nach hinten **2.** (*slow in learning*) zurückgeblieben **II.** *adv see* **backwards**

backwards ['bækwədz] *adv* **1.** (*towards the back*) nach hinten; **to walk ~ and forwards** hin- und hergehen **2.** (*into past*) zurück

backyard *n* **1.** BRIT (*courtyard*) Hinterhof *m* **2.** AM (*back garden*) Garten *m* hinter dem Haus

bacon ['beɪkᵊn] *n* [Schinken]speck *m*; **~ and eggs** Eier *pl* mit Speck

bacteria [bæk'tɪəriə] *n pl of see* **bacterium** Bakterien *pl*

bad <worse, worst> [bæd] *adj* schlecht; *dream* böse; *smell* übel; *cold* schlimm; **~ at maths** schlecht in Mathe; **~ luck** Pech *nt*; **too ~** zu schade

badge [bædʒ] *n* Abzeichen *nt*; **police ~** Polizeimarke *f*

badger ['bædʒəʳ] *n* Dachs *m*

badly <worse, worst> ['bædli] *adv* schlecht; **~ hurt** schwer verletzt

badminton ['bædmɪntən] *n* Badminton *nt*, Federball *m*

bag [bæg] **I.** *n* **1.** Tasche *f*; (*sack*) Sack *m*; **plastic ~** Plastiktüte *f*; (*handbag*) Handtasche *f*; (*travelling bag*) Reisetasche *f* **2.** (*skin*) **to have ~s under one's eyes** Ringe unter den Augen haben **3.** BRIT, AUS (*fam*) **~s of ...** jede Menge ... **II.** *vt* <-gg-> eintüten

baggage ['bægɪdʒ] *n no pl* Gepäck *nt*; **excess ~** Übergepäck *nt*

baggage car *n* AM, AUS Gepäckwagen *m* **baggage check** *n* Gepäckkontrolle *f* **baggage claim** *n* Gepäckausgabe *f*

bagpipes *n pl* Dudelsack *m*

bail [beɪl] **I.** *n* Kaution *f*; **to grant ~** die Freilassung gegen Kaution gewähren;

to stand ~ for sb für jdn [die] Kaution stellen **II.** *vt* **to ~ sb** jdn gegen Kaution freilassen

bait [beɪt] *n* Köder *m a. fig;* **to take the ~** anbeißen

bake [beɪk] **I.** *vi* **1.** (*cook*) backen **2.** (*fam*) **it's baking outside** draußen ist es wie im Backofen **II.** *vt* [im Ofen] backen

baker ['beɪkəʳ] *n* Bäcker(in) *m(f)*

bakery ['beɪkᵊri] *n* Bäckerei *f*

baking ['beɪkɪŋ] *n no pl* Backen *nt*

balance ['bælən(t)s] **I.** *n* **1.** *no pl* Gleichgewicht *nt a. fig* **2.** FIN Kontostand *m;* **~ of trade** Handelsbilanz *f* **II.** *vt* **1.** (*compare*) abwägen **2.** (*keep steady*) balancieren **III.** *vi* **1.** (*a. fig: keep steady*) das Gleichgewicht halten **2.** FIN ausgeglichen sein

balcony ['bælkəni] *n* Balkon *m*

bald [bɔːld] *adj* glatzköpfig; **to go ~** eine Glatze bekommen

bale [beɪl] **I.** *n* Ballen *m* **II.** *vt* bündeln

ball [bɔːl] *n* **1.** Ball *m* **2.** (*ball-shaped*) *of wool* Knäuel *m o nt; of dough* Kugel *f;* **to crush paper into a ~** Papier zusammenknüllen **3.** (*dance*) Ball *m*

ballet ['bæleɪ] *n no pl* Ballett *nt*

balloon [bə'luːn] **I.** *n* Ballon *m* **II.** *vi* **to ~ out** sich aufblähen

ballot ['bælət] **I.** *n* (*election*) Geheimwahl *f;* **second ~** zweiter Wahlgang *f* **II.** *vi* abstimmen **III.** *vt* abstimmen lassen (**on** über)

ballroom *n* Ballsaal *m*

bamboo [bæm'buː] *n* Bambus *m*

ban [bæn] **I.** *n* Verbot *nt;* **~ on smoking** Rauchverbot *nt* **II.** *vt* <-nn-> **to ~ sth** etw verbieten; **to ~ sb** jdn ausschließen

banana [bə'nɑːnə] *n* Banane *f*

band [bænd] *n* **1.** *of metal, cloth* Band *nt* **2.** (*range*) Bereich *m;* **age ~** Altersgruppe *f* **3.** MUS Band *f*

bandage ['bændɪdʒ] **I.** *n* Verband *m* **II.** *vt limb* bandagieren; *wound* verbinden

bandit ['bændɪt] *n* Bandit(in) *m(f)*

bang [bæŋ] **I.** *n* **1.** (*loud sound*) Knall *m* **2.** (*blow*) Schlag *m* **3.** *pl* AM **~s** (*fringe*) [kurzer] Pony **II.** *adv* (*precisely*) genau; **~ in the middle of the road** mitten auf der Straße **III.** *interj* **~!** Peng! **IV.** *vi door* knallen **V.** *vt* (*hit*) zuschlagen; **to ~ the phone down** den Hörer auf die Gabel knallen

bank¹ [bæŋk] **I.** *n* **1.** *of a river* Ufer *nt* **2. ~ of fog** Nebelbank *f* **II.** *vi* AVIAT in die Querlage gehen

bank² [bæŋk] **I.** *n* FIN Bank *f;* **to break the ~** die Bank sprengen **II.** *vi* **to ~ with sb** bei jdm ein Konto haben

bank balance *n* Kontostand *m*

bank code *n* BRIT Bankleitzahl *f*

bank holiday *n* **1.** BRIT öffentlicher Feiertag **2.** AM Bankfeiertag *m*

banking ['bæŋkɪŋ] *n* Bankwesen *nt;* **to be in ~** bei einer Bank arbeiten

banknote *n* Banknote *f*

banner ['bænəʳ] *n* **1.** (*sign*) Transparent *nt* **2.** (*flag*) Banner *nt*

bar [bɑːʳ] **I.** *n* **1.** (*long rigid object*) Stange *f* **2.** (*in shape of bar*) *of chocolate* Riegel *m* **3.** (*obstacle*) Hemmnis *nt* **4.** (*for drinking*) Lokal *nt*, Bar *f*, Theke *f* **II.** *vt* <-rr-> **1.** (*fasten*) verriegeln **2.** (*obstruct*) blockieren

barbecue ['bɑːbɪkjuː] **I.** *n* Grillparty *f* **II.** *vt* grillen

barbed [bɑːbd] *adj* **1.** *hook, arrow* mit Widerhaken **2.** (*fig: hurtful*) bissig

barber ['bɑːbəʳ] *n* [Herren]friseur *m*

bare [beəʳ] **I.** *adj* **1.** (*unclothed*) nackt;

in ~ feet barfuß **2.** (*uncovered*) *branch* kahl **3.** (*empty*) leer **4.** (*basic*) **the ~ essentials** das Allernotwendigste **II.** *vt* entblößen; **to ~ one's soul to sb** jdm sein Herz ausschütten
barefoot, barefooted *adj, adv* barfuß
barely ['beəli] *adv* **1.** (*hardly*) kaum **2.** (*scantily*) karg
bargain ['bɑːgɪn] **I.** *n* **1.** (*agreement*) Handel *m* **2.** (*good buy*) guter Kauf; **a real ~** ein echtes Schnäppchen; **~ counter** Sonderangebotstisch *m* **II.** *vi* (*negotiate*) [ver]handeln; (*haggle*) feilschen (**for** um)
bargain price *n* Sonderpreis *m*
barge [bɑːdʒ] **I.** *n* Lastkahn *m* **II.** *vi* **to ~ into sb** jdn anrempeln
barhopping *n no pl esp* AM Kneipentour *f*
bark[1] [bɑːk] *n no pl* (*part of tree*) [Baum]rinde *f*
bark[2] [bɑːk] **I.** *n* (*animal cry*) Bellen *nt* **II.** *vi* bellen
barley ['bɑːli] *n no pl* Gerste *f*
barmaid *n* Bardame *f* **barman** *n* Barmann *m*
barn [bɑːn] *n* Scheune *f*
barrel ['bærəl] *n* **1.** (*container*) Fass *nt* **2.** (*measure*) Barrel *nt* **3.** *of a gun* Lauf *m*
barrier ['bæriər] *n* Barriere *f;* (*man-made*) Absperrung *f*
barring ['bɑːrɪŋ] *prep* ausgenommen; **~ any unexpected delays** wenn es keine unerwarteten Verspätungen gibt
barrister ['bærɪstər] *n* BRIT, AUS Rechtsanwalt, -anwältin *m, f*
base[1] [beɪs] **I.** *n* **1.** (*bottom*) Fuß *m; of spine* Basis *f* **2.** (*main location*) Hauptsitz *m* **3.** (*main ingredient*) Hauptbestandteil *m* **4.** CHEM Base *f* **II.** *vt* **to be ~d on sth** auf etw *dat* basieren
base[2] *adj* **1.** (*immoral*) niederträchtig **2.** (*menial*) niedrig
baseball *n* Baseball *m o nt*
basement ['beɪsmənt] *n* (*living area*) Untergeschoss *nt;* (*cellar*) Keller *m;* **~ flat** Souterrainwohnung *f*
bash [bæʃ] **I.** *n* <*pl* -es> **1.** (*blow*) [heftiger] Schlag **2.** BRIT (*sl*) Versuch *m* **II.** *vi* **to ~ into sth** zusammenstoßen mit etw *dat* **III.** *vt* (*fam*) **to ~ sb** jdn verhauen
basic ['beɪsɪk] *adj* **1.** (*fundamental*) grundlegend; **~ vocabulary** Grundwortschatz *m;* **the ~s** *pl* die Grundlagen *pl* **2.** (*very simple*) [sehr] einfach
basically ['beɪsɪkəli] *adv* im Grunde
basin ['beɪsən] *n* Schüssel *f;* (*washbasin*) Waschbecken *nt*
basis <*pl* bases> ['beɪsɪs] *n* Basis *f;* **to be the ~ for sth** als Grundlage für etw *akk* dienen; **on a regular ~** regelmäßig
basket ['bɑːskɪt] *n* Korb *m*
basketball *n* Basketball *m*
bat[1] [bæt] *n* (*animal*) Fledermaus *f;* ▶ **[as] blind as a ~** blind wie ein Maulwurf
bat[2] [bæt] *vt* **to ~ one's eyelashes** mit den Wimpern klimpern; **to not ~ an eyelid** (*fig*) nicht mal mit der Wimper zucken
bat[3] [bæt] **I.** *n* SPORTS Schläger *m;* ▶ **[right] off the ~** AM prompt **II.** *vi, vt* <-tt-> SPORTS schlagen
bath [bɑːθ] **I.** *n* **1.** (*tub*) [Bade]wanne *f* **2.** (*water*) Bad[ewasser] *nt;* **to run [sb] a ~** [jdm] ein Bad einlassen **3.** (*washing*) Bad *nt;* **to give sb a ~**

jdn baden; **to have a ~** ein Bad nehmen **II.** *vi, vt* [sich] baden

bathe [beɪð] **I.** *vi* **1.** BRIT (*swim*) schwimmen **2.** AM (*bath*) ein Bad nehmen **II.** *vt* MED baden; **to ~ one's eyes** ein Augenbad machen **III.** *n no pl* Bad *nt*

bathing ['beɪðɪŋ] *n no pl* Baden *nt;* **to go ~** baden gehen

bathing cap *n* Bademütze *f* **bathing costume** *n* BRIT, AUS (*dated*), AM **bathing suit** *n* Badeanzug *m* **bathing trunks** *n pl* Badehose *f*

bathrobe *n* Bademantel *m* **bathroom** *n* Bad[ezimmer] *nt;* **to go to the ~** AM, AUS auf die Toilette gehen

batsman *n* Schlagmann *m*

batter[1] ['bætəʳ] FOOD **I.** *n* [Back]teig *m* **II.** *vt* panieren

batter[2] ['bætəʳ] **I.** *n* SPORTS Schlagmann *m* **II.** *vt* **to ~ sb** jdn verprügeln **III.** *vi* schlagen

battery ['bætəri] *n* Batterie *f*

battery-operated, battery-powered *adj* batteriebetrieben

battle ['bætl̩] **I.** *n* Kampf *m;* **in ~** im Kampf; **~ of wills** Machtkampf *m;* ► **to fight a losing ~** auf verlorenem Posten kämpfen **II.** *vi* kämpfen *a. fig*

battlefield *n,* **battleground** *n* **1.** Schlachtfeld *nt* **2.** (*fig*) Reizthema *nt* **battleship** *n* Schlachtschiff *nt*

be <was, been> [biː, bi] *vi + n/adj* **1.** (*describes*) sein; **what is that?** was ist das?; **she's a doctor** sie ist Ärztin; **to ~ from a country** aus einem Land kommen **2.** (*calculation*) **two and two is four** zwei und zwei ist vier; **these books are 50p each** diese Bücher kosten jeweils 50p **3.** (*timing*) **to ~ late** zu spät kommen **4.** (*location*) sein; *town, country* liegen; **the keys are in that box** die Schlüssel befinden sich in der Schachtel **5.** (*take place*) stattfinden; **the meeting is next Tuesday** die Konferenz findet am nächsten Montag statt **6.** (*expresses future*) **we are [going] to visit Australia in the spring** im Frühling reisen wir nach Australien; (*in conditionals*) **if I were you, I'd ...** an deiner Stelle würde ich ... **7.** (*impersonal use*) **is it true that ...?** stimmt es, dass ...? **8.** (*expresses imperatives*) **~ quiet or I'll ...!** sei still oder ich ...! **9.** (*expresses continuation*) **while I'm eating** während ich beim Essen bin; **it's raining** es regnet **10.** (*expresses passive*) **to ~ asked** gefragt werden ► **so ~ it** so sei es; **far ~ it from me to ...** nichts liegt mir ferner, als ...

beach [biːtʃ] *n* <*pl* -es> Strand *m;* **on the ~** am Strand

bead [biːd] *n* **1.** Perle *f* **2.** REL **~s** *pl* Rosenkranz *m*

beak [biːk] *n* Schnabel *m*

beam [biːm] **I.** *n* **1.** (*light*) [Licht]strahl *m;* **full ~** Fernlicht *nt* **2.** (*timber*) Balken *m* **II.** *vi* strahlen; **to ~ at sb** jdn anstrahlen

bean [biːn] *n* Bohne *f;* **baked ~s** Bohnen *pl* in Tomatensoße, Baked Beans *pl* ► **full of ~s** putzmunter

bear[1] [beəʳ] *n* (*animal*) Bär *m*

bear[2] <bore, borne> [beəʳ] **I.** *vt* **1.** (*carry*) tragen; *gifts* mitbringen **2.** (*endure*) ertragen; **to not be able to ~ the suspense** die Spannung nicht aushalten **3.** (*keep*) **I'll ~ that in mind** ich werde das berücksichtigen **4.** (*give birth to*) gebären; **his wife bore him a son** seine Frau schenkte ihm einen Sohn **II.** *vi* (*tend*)

B

to ~ right sich rechts halten

beard [bɪəd] *n* Bart *m*

bearing ['beəʳɪŋ] *n* **1.** NAUT Peilung *f;* **~s** *pl* (*position*) Lage *f kein pl;* **to get one's ~s** (*fig*) sich zurechtfinden **2.** *no pl* (*deportment*) Benehmen *nt* **3.** (*relevance*) **to have no ~ on sth** für etw *akk* belanglos sein

beat [bi:t] **I.** *n* **1.** (*throb*) Schlag *m* **2.** *no pl* (*act*) Schlagen *nt* **3.** *no pl* MUS Takt *m* **4.** *usu sing* (*police patrol*) Runde *f* **II.** *vt* <beat, beaten> **1.** (*hit*) schlagen; **to ~ sth** gegen/auf etw *akk* schlagen; *carpet* [aus]klopfen **2.** FOOD schlagen **3.** (*defeat*) besiegen; **to ~ sb to sth** jdm bei etw *dat* zuvorkommen ▶ **~ it!** hau ab! **III.** *vi* <beat, beaten> (*throb,*) schlagen; *heart a.* klopfen ◆ **beat up** *vt* verprügeln

beaten ['bi:tᵊn] *adj* geschlagen

beautiful ['bju:tɪfᵊl] *adj* schön

beauty ['bju:ti] *n* **1.** *no pl* Schönheit *f* **2.** *no pl* (*attraction*) **the ~ of our plan ...** das Schöne an unserem Plan ... ▶ **~ is in the eye of the beholder** (*prov*) über Geschmack lässt sich [bekanntlich] streiten

beaver ['bi:vəʳ] **I.** *n* Biber *m* **II.** *vi* (*fam*) **to ~ away** schuften

became [bɪ'keɪm] *pt of* **become**

because [bɪ'kɒz] **I.** *conj* **1.** weil, da; **that's ~ ...** es liegt daran, dass ... **2.** (*fam: for*) denn ▶ **just ~!** [einfach] nur so! **II.** *prep* **~ of** wegen *+gen*

beckon ['bekᵊn] *vi* winken *a. fig*

become <became, become> [bɪ'kʌm] **I.** *vi* werden; **this species almost became extinct** diese Art wäre fast ausgestorben; **what became of ...?** was ist aus ... geworden?; **to ~ interested in sb/sth** anfangen, sich für jdn/etw zu interessieren **II.** *vt* werden; **she wants to ~ an actress** sie will Schauspielerin werden

bed [bed] *n* **1.** (*furniture*) Bett *nt;* **to get out of ~** aufstehen; **to go to ~** zu [*o* ins] Bett gehen; **to put sb to ~** jdn ins Bett bringen **2.** (*flower patch*) Beet *nt*

bed and breakfast *n* Übernachtung *f* mit Frühstück; **~ place** Frühstückspension *f*

bedclothes *n pl* Bettzeug *nt kein pl*

bedding ['bedɪŋ] **I.** *n no pl* **1.** (*bedclothes*) Bettzeug *nt;* (*straw for animals*) [Ein]streu *f* **2.** GEOL Schichtung *f,* Lagerung *f* **II.** *adj attr, inv* **~ plant** Beetpflanze *f,* Freilandpflanze *f*

bedside table *n* Nachttisch *m* **bed-sitting room**, *fam* **bedsitter** *n esp* BRIT (*small flat*) Einzimmerappartement *nt;* (*room*) Wohnschlafzimmer *nt* **bedtime** *n* Schlafenszeit *f;* **it's ~** Zeit fürs Bett!; **it's long past your ~** du solltest schon längst im Bett sein

bee [bi:] *n* Biene *f;* ▶ **to have a ~ in one's bonnet** einen Tick haben; **to be a busy ~** fleißig wie eine Biene sein

beech [bi:tʃ] *n* Buche *f*

beef [bi:f] *n* Rindfleisch *nt;* **minced** [*or* AM **ground**] **~** Rinderhack[fleisch] *nt*

bee-keeper *n* Imker(in) *m(f)*

been [bi:n] *pp of* **be**

beer [bɪər] *n* Bier *nt*

beetle ['bi:tl] *n* Käfer *m*

beetroot ['bi:tru:t] *n* BRIT Rote Bete

before [bɪ'fɔ:ʳ] **I.** *prep* **1.** (*earlier*) vor *+dat;* **~ long** in Kürze **2.** (*in front of*) vor *+dat;* (*with movement*) vor *+akk;* **the letter K comes ~ L** der Buchstabe K kommt vor dem L **II.** *conj* **1.** (*at previous time*) bevor; **just ~ ...** kurz bevor ... **2.** (*rather than*) ehe **3.** (*until*) bis; **not ~** erst wenn **III.** *adv* (*earlier*) zuvor, vorher; **have you been to Cologne ~?** waren Sie schon einmal in Köln? **IV.** *adj after n* zuvor; **the day ~, it had rained** tags zuvor hatte es geregnet

beforehand [bɪ'fɔ:hænd] *adv* vorher

beg <-gg-> [beg] **I.** *vt* bitten; **I ~ your pardon** entschuldigen Sie bitte **II.** *vi* **1.** (*seek charity*) betteln (**for** um) **2.** (*request*) **to ~ of sb** jdn anflehen

began [bɪ'gæn] *pt of* **begin**

beggar ['begəʳ] **I.** *n* **1.** (*poor person*) Bettler(in) *m(f)* **2.** + *adj esp* BRIT **little ~** kleiner Schlingel *m* **II.** *vt* ► **to ~ belief** [einfach] unglaublich sein

begin <-nn-, began, begun> [bɪ'gɪn] *vt, vi* anfangen, beginnen; **to ~ school** in die Schule kommen; **to ~ work** mit der Arbeit beginnen; **she was ~ning to get angry** sie wurde allmählich wütend; **I'll ~ by welcoming our guests** zuerst werde ich unsere Gäste begrüßen; **to ~ again** neu anfangen

beginner [bɪ'gɪnəʳ] *n* Anfänger(in) *m(f)*

beginning [bɪ'gɪnɪŋ] *n* **1.** (*starting point*) Anfang *m;* (*in time*) Beginn *m;* **at the ~** am Anfang **2.** (*origin*) **~s** *pl* Anfänge *pl*

begun [bɪ'gʌn] *pp of* **begin**

behalf [bɪ'hɑ:f] *n no pl* **on ~ of sb** (*speaking for*) im Namen einer Person; (*as authorized by*) im Auftrag von jdm

behave [bɪ'heɪv] **I.** *vi people* sich verhalten; **to ~ badly/well** sich schlecht/gut benehmen **II.** *vt* **to ~ oneself** sich [anständig] benehmen

behaviour, AM **behavior** [bɪ'heɪvjəʳ] *n of a person* Benehmen *nt,* Verhalten *nt;* **to be on one's best ~** sich von seiner besten Seite zeigen

behind [bɪ'haɪnd] **I.** *prep* hinter *+dat;* (*with movement*) hinter *+akk;* **~ the wheel** hinterm Lenkrad **II.** *adv* hinten; **to walk ~ [sb]** hinter [jdm] hergehen **III.** *adj* **1.** (*in arrears*) im Rückstand **2.** (*slow*) **to be [a long way] ~** [weit] zurück sein

being ['bi:ɪŋ] **I.** *n* **1.** (*creature*) Wesen *nt* **2.** (*existence*) Dasein *nt* **II.** *adj* **for the time ~** vorerst

Belgian ['belʤən] **I.** *n* Belgier(in) *m(f)* **II.** *adj* belgisch

Belgium ['belʤəm] *n* Belgien *nt*

belief [bɪ'li:f] *n* **1.** (*faith*) Glaube *m kein pl* (**in** an); **to be beyond ~** [einfach] unglaublich sein **2.** (*view*) Überzeugung *f;* **it is my firm ~ that ...** ich bin der festen Überzeugung, dass ...

believe [bɪ'li:v] **I.** *vt* **1.** (*presume true*) glauben; **~ [you] me!** du kannst mir glauben!; **~ it or not** ob du es glaubst oder nicht **2.** (*pretend*) **to make ~ [that] ...** (*pretend*) so tun, als ob ... **II.** *vi* **1.** (*be certain of*) glauben (**in** an) **2.** (*have confidence*) **to ~ in sb** auf jdn vertrauen **3.** (*think*) glauben

bell [bel] *n* **1.** (*for ringing*) Glocke *f* **2.** (*signal*) Läuten *nt kein pl,* Klingeln *nt kein pl* ► **[as] clear as a ~** (*pure*) glasklar; **sth rings a ~ [with sb]** etw kommt jdm bekannt vor

bellboy *n* [Hotel]page *m*

belly ['beli] *n* (*fam*) Bauch *m*

belong [bɪ'lɒŋ] *vi* **1.** gehören; **who does this ~ to?** wem gehört das? **2.** (*should be*) **he ~s in jail** er gehört ins Gefängnis; **you don't ~ here** Sie haben hier nichts zu suchen

belongings [bɪˈlɒŋɪŋz] *n pl* Hab und Gut *nt kein pl*

below [bɪˈləʊ] **I.** *adv* **1.** (*lower*) unten **2.** (*on page*) unten; **see ~** siehe unten **II.** *prep* unter +*dat;* (*with movement*) unter +*akk;* **~ average** unter dem Durchschnitt

belt [belt] **I.** *n* **1.** (*for waist*) Gürtel *m* **2.** (*conveyor*) Band *nt* **3.** (*area*) **green ~** Grüngürtel *m;* ▶ **to tighten one's ~** den Gürtel enger schnallen **II.** *vt* (*fam: hit*) hauen

bench <*pl* -es> [bentʃ] *n* **1.** Bank *f* **2.** BRIT POL die Regierungsbank; **the opposition ~es** die Oppositionsbank

bend [bend] **I.** *n* (*in a road*) Kurve *f;* (*in a pipe*) Krümmung *f* **II.** *vi* <bent, bent> **1.** (*turn*) *road* biegen; **to ~ forwards** sich vorbeugen **2.** (*be flexible*) sich biegen; *tree* sich neigen **III.** *vt* verbiegen ◆ **bend down** *vi* sich niederbeugen

beneath [bɪˈniːθ] **I.** *prep* unter +*dat;* (*with movement*) unter +*akk;* **to be ~ sb** (*lower rank than*) unter jdm stehen; **~ contempt** verachtenswert **II.** *adv* unten

bent [bent] **I.** *pt, pp of* **bend II.** *n* (*inclination*) Neigung *f;* **a [natural] ~ for sth** einen [natürlichen] Hang zu etw *dat* **III.** *adj* **1.** (*curved*) umgebogen; *wire* verbogen; *person* gekrümmt **2.** (*determined*) **to be [hell] ~ on [doing] sth** zu etw *dat* [wild] entschlossen sein **3.** *esp* BRIT (*sl: corrupt*) korrupt

berry [ˈberi] *n* Beere *f*

berth [bɜːθ] **I.** *n* **1.** (*bed*) NAUT [Schlaf]koje *f* **2.** (*for ship*) Liegeplatz *m* **II.** *vt, vi* festmachen

beside [bɪˈsaɪd] *prep* **1.** (*next to*) neben +*dat;* (*with movement*) neben +*akk;* **right ~ sb** genau neben jdm **2.** (*irrelevant to*) **~ the point** nebensächlich

besides [bɪˈsaɪdz] **I.** *adv* außerdem; **many more ~** noch viele mehr **II.** *prep* (*in addition to*) außer +*dat*

best [best] **I.** *adj superl of see* **good 1.** (*finest*) **the ~ ...** der/die/das beste ...; **~ regards** viele Grüße **2.** (*most favourable*) **what's the ~ way to the station?** wie komme ich am besten zum Bahnhof? **3.** (*most*) **the ~ part of sth** der Großteil einer S. *gen* **II.** *adv superl of see* **well** am besten; **to do as one thinks ~** tun, was man für richtig hält **III.** *n no pl* **1.** (*finest person, thing*) **the ~** der/die/das Beste **2.** (*most favourable*) **all the ~!** (*fam*) alles Gute! ▶ **to make the ~ of things** das Beste daraus machen

bet [bet] **I.** *n* Wette *f;* **to place a ~ on sth** auf etw *akk* wetten **II.** *vt, vi* <-tt-, bet, bet> wetten; **I ~ you £25 that ...** ich wette mit dir um 25 Pfund, dass ... ▶ **you ~!** (*fam*) das kannst du mir aber glauben!

better [ˈbetəʳ] **I.** *adj comp of see* **good 1.** (*superior*) besser; **it's ~ that way** es ist besser so **2.** (*healthier*) besser; **I'm much ~ now** mir geht's schon viel besser **II.** *adv comp of see* **well 1.** besser; *like* lieber; **or ~ still ...** oder noch besser ... **2.** (*to a greater degree*) mehr; **she is much ~-looking** sie sieht viel besser aus ▶ **to get the ~ of sb** über jdn die Oberhand gewinnen **IV.** *vt* verbessern; **to ~ oneself** (*improve social position*) sich verbessern

between [bɪˈtwiːn] **I.** *prep* zwischen

+*dat;* (*with movement*) zwischen +*akk;* ~ **times** in der Zwischenzeit; ~ **you and me** unter uns gesagt **II.** *adv* [**in-**]~ dazwischen

beware [bɪ'weəʳ] *vi, vt* sich in Acht nehmen (**of** vor); ~**!** Vorsicht!

beyond [bi'ɒnd] **I.** *prep* **1.** (*on the other side of*) jenseits +*gen* **2.** (*after*) nach +*dat* **3.** (*further than*) über +*akk;* **to see ~ sth** über etw *akk* hinaus sehen **4.** (*surpassing*) **to be ~ question** außer Frage stehen; **damaged ~ repair** irreparabel beschädigt **II.** *adv* (*in space*) jenseits; (*in time*) darüber hinaus; **to go far ~ sth** etw bei weitem übersteigen

Bible ['baɪbl̩] *n* Bibel *f*

bicycle ['baɪsɪkl̩] *n* Fahrrad *nt;* **by ~** mit dem Fahrrad

bid[1] <-dd-, bid, bid> [bɪd] *vt* (*form*) **1.** (*greet*) **to ~ sb farewell** jdm Lebewohl sagen **2.** (*old: command*) **to ~ sb** [**to**] **do sth** jdn etw tun heißen

bid[2] [bɪd] **I.** *n* **1.** (*offer*) Angebot *nt;* (*at an auction*) Gebot *nt* **2.** (*attempt*) Versuch *m* **II.** *vi, vt* <-dd-, bid, bid> bieten

big <-gg-> [bɪg] *adj* **1.** (*of size, amount*) groß; *meal* üppig; *tip* großzügig; **the ~ger the better** je größer desto besser **2.** (*significant*) bedeutend; *decision* schwerwiegend; **when's the ~ day?** wann ist der große Tag? ▶ **a ~ fish in a small pond** der Hecht im Karpfenteich

bike [baɪk] **I.** *n* **1.** (*fam: bicycle*) [Fahr]rad *nt;* **by ~** mit dem [Fahr]rad **2.** (*motorcycle*) Motorrad *nt* **II.** *vi* mit dem Fahrrad fahren

bikini [bɪ'kiːni] *n* Bikini *m*

bilingual [baɪ'lɪŋgwᵊl] *adj* zweisprachig; ~ **secretary** Fremdsprachensekretär(in) *m(f)*

bill[1] [bɪl] **I.** *n* **1.** (*invoice*) Rechnung *f;* **could we have the ~, please?** zahlen bitte! **2.** AM (*bank note*) Geldschein *m;* [**one-**]**dollar ~** Dollarschein *m* **3.** (*placard*) Plakat *nt* **II.** *vt* **to ~ sb** jdm eine Rechnung ausstellen

bill[2] [bɪl] *n of bird* Schnabel *m*

billboard *n* Reklamefläche *f*

billiards ['bɪliədz] *n no pl* Billard *nt*

billion ['bɪliən] *n* Milliarde *f*

bin [bɪn] *n* **1.** BRIT, AUS (*for waste*) Mülleimer *m* **2.** (*for storage*) Behälter *m*

bind [baɪnd] **I.** *n* (*fam*) **1. to be** [**a bit of**] **a ~** [ziemlich] lästig sein **2. to be in a bit of a ~** in der Klemme stecken **II.** *vi* <bound, bound> binden **III.** *vt* <bound, bound> **1. to ~ sb** jdn fesseln (**to** an); **to ~ sth** etw festbinden (**to** an) **2. to ~ sb to secrecy** jdn zum Stillschweigen verpflichten

binding ['baɪndɪŋ] **I.** *n no pl* **1.** (*covering*) Einband *m* **2.** (*act*) Binden *nt* **3.** (*on ski*) Bindung *f* **II.** *adj* verbindlich

binoculars [bɪ'nɒkjələz] *n pl* [**a pair of**] ~ [ein] Fernglas *nt*

biodiversity *n* Artenvielfalt *f*

biological [ˌbaɪə'lɒdʒɪkᵊl] *adj* biologisch

biologist [baɪ'ɒlədʒɪst] *n* Biologe(in) *m(f)*

biology [baɪ'ɒlədʒi] *n* Biologie *f*

biometrics [baɪə(ʊ)'metrɪks] *n* Biometrie *f* **bioweapon** *n* Biowaffe *f*

birch [bɜːtʃ] *n* <*pl* -es> Birke *f*

bird [bɜːd] *n* **1.** Vogel *m;* ~ **life** Vogelwelt *f* **2.** (*fam: young female*) Biene *f;* ▶ **to know about the ~s and bees** (*euph*) aufgeklärt sein

bird flu *n* Vogelgrippe *f*

birth [bɜ:θ] *n* **1.** Geburt *f;* **date/place of ~** Geburtsdatum *nt*/-ort *m;* **to give ~ to a child** ein Kind zur Welt bringen **2.** *no pl* (*parentage*) Abstammung *f*

birth control *n* Geburtenkontrolle *f;* **~ pill** Antibabypille *f*

birthday ['bɜ:θdeɪ] *n* Geburtstag *m;* **happy ~ [to you]!** alles Gute zum Geburtstag!

biscuit ['bɪskɪt] *n* **1.** BRIT, AUS Keks *m* **2.** AM Brötchen *nt*

bishop ['bɪʃəp] *n* **1.** REL Bischof *m* **2.** CHESS Läufer *m*

bit[1] [bɪt] *n* (*fam*) **1.** (*small piece*) Stück *nt;* **a ~ of advice** ein Rat *m;* **~s of glass** Glasscherben *pl* **2.** (*part*) Teil *m;* *of a story, film* Stelle *f* **3.** (*a little*) **a ~** ein bisschen **4.** (*rather*) **a ~** ziemlich **5.** (*short time*) **I'm just going out for a ~** ich gehe mal kurz raus **6.** *pl* BRIT **~s and pieces** Krimskrams *m*

bit[2] [bɪt] *vt, vi pt of* **bite**

bit[3] [bɪt] *n* (*for horses*) Trense *f;* ▶ **to get the ~ between one's __teeth__** sich an die Arbeit machen

bit[4] [bɪt] *n* (*drill*) Bohrer[einsatz] *m*

bit[5] [bɪt] *n* COMPUT Bit *nt*

bite [baɪt] **I.** *n* **1.** (*using teeth*) Biss *m;* **~ mark** Bisswunde *f;* **to have a ~ to eat** (*fam*) eine Kleinigkeit essen **2.** *no pl* (*pungency*) Schärfe *f* **II.** *vt, vi* <bit, bitten> beißen; **to ~ one's nails** an seinen Nägeln kauen

bitten ['bɪtᵊn] *vt, vi pp of* **bite**

bitter ['bɪtəʳ] *adj* <-er, -est> bitter

black [blæk] **I.** *adj* schwarz *a. fig;* **~ and blue** grün und blau **II.** *n* Schwarz *nt* **III.** *vt* (*darken*) schwarz färben

blackberry ['blækbᵊri] *n* Brombeere *f* **blackbird** *n* Amsel *f* **blackboard** *n* Tafel *f* **blackcurrant** [ˌblæk'kʌrᵊnt] *n* schwarze Johannisbeere **blackout** ['blækaʊt] *n* **1.** (*unconsciousness*) Ohnmachtsanfall *m* **2.** ELEC [Strom]ausfall *m* **black pudding** *n* BRIT Blutwurst *f* **Black Sea** *n* Schwarzes Meer **blacksmith** *n* [Huf]schmied *m*

blade [bleɪd] **I.** *n* Klinge *f;* **~ of grass** Grashalm *m;* **~ of an oar** Ruderblatt *nt* **II.** *vi* SPORTS (*fam*) bladen

blame [bleɪm] **I.** *vt* **to ~ sb/sth for sth** jdm/etw die Schuld an etw *dat* geben **II.** *n no pl* (*guilt*) Schuld *f;* **where does the ~ lie?** wer hat Schuld?; **to take the ~** die Schuld auf sich nehmen

bland [blænd] *adj* fade; (*fig*) vage; **~ diet** Schonkost *f*

blank [blæŋk] **I.** *adj* **1.** leer; **~ space** Leerraum *m;* **the screen went ~** das Bild fiel aus **2.** (*without emotion*) ausdruckslos **3.** (*complete*) **~ refusal** glatte Ablehnung **II.** *n* (*empty space*) Leerstelle *f;* ▶ **to __draw__ a ~** kein Glück haben **III.** *vt* **to ~ out** ausstreichen

blanket ['blæŋkɪt] **I.** *n* [Bett]decke *f;* (*fig*) Decke *f* **II.** *vt* bedecken **III.** *adj* umfassend; *coverage* ausführlich

blast [blɑ:st] **I.** *n* **1.** (*explosion*) Explosion *f* **2.** (*noise*) **a ~ of music** ein Schwall *m* Musik; **~ of a whistle** Pfeifton *m;* **at full ~** in voller Lautstärke **II.** *interj* (*fam!*) verdammt! **III.** *vt* (*explode*) sprengen

bleach [bli:tʃ] **I.** *vt* bleichen **II.** *n* <*pl* -es> (*chemical*) Bleichmittel *nt;* (*for hair*) Blondierungsmittel *nt*

bleak [bli:k] *adj* öde; (*fig*) trostlos

bled [bled] *pt, pp of* **bleed**

bleed [bli:d] **I.** *vi* <bled, bled> bluten ▸ **my heart ~s** (*iron*) mir blutet das Herz **II.** *vt* <bled, bled> **to ~ sb dry** (*fig*) jdn [finanziell] bluten lassen

bleeding ['bli:dɪŋ] *adj* BRIT (*fam!*) verdammt

blend [blend] **I.** *n* Mischung *f* **II.** *vt* [miteinander] vermischen **III.** *vi* **1. to ~ with sb/sth** zu jdm/etw passen **2. to ~ into sth** mit etw *dat* verschmelzen

blessing ['blesɪŋ] *n* Segen *m;* ▸ **to be a ~ in disguise** sich im Nachhinein als Segen erweisen

blew [blu:] *pt of* **blow**

blind [blaɪnd] **I.** *n* **1.** (*for window*) Jalousie *f;* **roller ~** Rollo *nt* **2.** (*people*) **the ~** *pl* die Blinden *pl* **II.** *vt* **~ed by tears** blind vor Tränen **III.** *adj* (*sightless*) blind; **to go ~** blind werden **IV.** *adv* blind; **~ drunk** stockbetrunken

blink [blɪŋk] **I.** *vt* **to ~ one's eyes** mit den Augen zwinkern; **without ~ing an eye** ohne mit der Wimper zu zucken **II.** *vi* **1.** *of eye* blinzeln **2.** (*of a light*) blinken; **to ~ left/right** links/rechts anzeigen **III.** *n* Blinzeln *nt;* ▸ **to be on the ~** (*fam*) kaputt sein

blister ['blɪstəʳ] **I.** *n* Blase *f* **II.** *vt* Blasen hervorrufen auf +*dat* **III.** *vi skin* Blasen bekommen

blizzard ['blɪzəd] *n* Schneesturm *m*

block [blɒk] **I.** *n* **1.** (*solid lump*) Block *m;* **~ of wood** Holzklotz *m* **2.** SPORTS **~s** *pl* Startblock *m* **3.** BRIT (*building*) Hochhaus *nt;* **~ of flats** Wohnblock *m* **4.** *esp* AM, AUS (*part of neighbourhood*) [Häuser]block *m* **II.** *vt* blockieren; *artery, pipeline* verstopfen; *exit, passage* versperren ◈ **block off** *vt* [ver]sperren

blog [blɒg] *n* INET Blog *nt*

blogger ['blɒgəʳ] *n* INET Blogger(in) *m(f)*

blogosphere ['blɒgəsfɪəʳ] *n* INET Blogwelt *f*

bloke [bləʊk] *n* Kerl *m*

blond(e) [blɒnd] **I.** *adj* blond **II.** *n* (*person*) Blonde(r) *f(m)*

blood [blʌd] **I.** *n no pl* Blut *nt;* ▸ **~ is thicker than water** (*prov*) Blut ist dicker als Wasser; **in cold ~** kaltblütig **II.** *vt* [neu] einführen

blood pressure *n no pl* Blutdruck *m*

blood test *n* Bluttest *m*

bloody ['blʌdi] **I.** *adj* **1.** (*with blood*) blutig **2.** BRIT, AUS (*fam!: emphasis*) verdammt; **~ hell!** (*in surprise*) Wahnsinn!; (*in anger*) verdammt [nochmal]! **II.** *adv* BRIT, AUS (*fam!*) verdammt; **~ marvellous** großartig *a. iron;* **to be ~ useless** zu gar nichts taugen

bloom [blu:m] **I.** *n no pl* Blüte *f;* **to come into ~** aufblühen **II.** *vi* blühen

blossom ['blɒsᵊm] **I.** *n no pl* [Baum]blüte *f* **II.** *vi* blühen *a. fig*

blow[1] [bləʊ] **I.** *vi* <blew, blown> **1.** *wind* wehen; **the window blew open** das Fenster wurde aufgeweht **2.** (*exhale*) blasen **3.** (*break*) *fuse* durchbrennen **4.** (*fam: leave*) abhauen **II.** *vt* <blew, blown> **1.** blasen; *wind* wehen; **to ~ one's nose** sich *dat* die Nase putzen **2.** (*destroy*) **we blew a tyre** uns ist ein Reifen geplatzt ◈ **blow away** *vt wind* wegwehen ◈ **blow off I.** *vt* **1.** (*remove*) wegblasen **2.** (*rip off*) wegreißen **II.** *vi* weggeweht werden ◈ **blow over I.** *vi* **1.** (*fall*) umstürzen **2.** (*stop*) *storm* sich legen **3.** (*fig*) *argument, trouble* sich beruhigen **II.** *vt* umwerfen

◈ **blow up** **I.** *vi* **1.** (*come up*) *storm* [her]aufziehen **2.** (*explode*) explodieren **II.** *vt* **1.** (*inflate*) aufblasen **2.** (*enlarge*) vergrößern

blow² [bləʊ] *n* (*hit*) Schlag *m;* **to come to ~s over sth** sich wegen einer S. *gen* prügeln

blown [bləʊn] *vt, vi pp of* **blow**

blue [blu:] **I.** *adj* <-r, -st> **1.** (*colour*) blau **2.** (*fam*) **~ movie** Pornofilm *m;* ▶ **once in a ~ moon** alle Jubeljahre einmal **II.** *n* Blau *nt*

blueberry ['blu:bᵊri] *n* Heidelbeere *f*

blue-sky *adj* **~ thinking** zukunftsorientiertes Denken

blunder ['blʌndəʳ] **I.** *n* schwer[wiegend]er Fehler **II.** *vi* **1.** (*make a mistake*) einen groben Fehler machen **2.** (*act clumsily*) **to ~ [about]** [herum]tappen; **to ~ into sth** in etw *akk* hineinplatzen

blunt [blʌnt] **I.** *adj* **1.** stumpf **2.** (*outspoken*) direkt **II.** *vt* **1.** stumpf machen **2.** (*fig*) *enthusiasm* dämpfen

blurred [blɜ:d] *adj* verschwommen

blush [blʌʃ] **I.** *vi* erröten **II.** *n* **1.** (*red face*) Erröten *nt kein pl;* **to spare sb's ~es** jdn nicht verlegen machen **2.** AM (*blusher*) Rouge *nt*

board [bɔ:d] **I.** *n* **1.** Brett *nt;* (*blackboard*) Tafel *f;* (*notice board*) schwarzes Brett **2.** + *sing/pl vb* ADMIN Behörde *f;* **~ of directors** Vorstand *m* **3.** *no pl* **full ~** Vollpension *f;* **half ~** Halbpension *f* **4.** TRANSP **on ~** an Bord *a. fig* **II.** *vt* **1. to ~ up** mit Brettern vernageln **2.** *plane, ship* besteigen **III.** *vi* **1.** TOURIST wohnen (*als Pensionsgast*) **2.** AVIAT **flight BA345 is now ~ing at Gate 2** Flug BA345 ist zum Einstieg bereit - die Passagiere werden gebeten, sich zu Ausgang 2 zu begeben

boarding card *n* BRIT Bordkarte *f*

boarding house *n* Pension *f*

boast [bəʊst] **I.** *vi* (*pej*) prahlen; **to ~ about sth** mit etw *dat* angeben **II.** *n* (*pej*) großspurige Behauptung

boastful ['bəʊstfᵊl] *adj* (*pej*) großspurig; **to be ~** prahlen

boat [bəʊt] *n* Boot *nt;* (*large*) Schiff *nt;* **to travel by ~** mit dem Schiff fahren ▶ **to be in the same ~** im selben Boot sitzen; **to miss the ~** den Anschluss verpassen; **to push the ~ out** BRIT ganz groß feiern

boating ['bəʊtɪŋ] *n no pl* Bootfahren *nt;* **~ lake** See *m* mit Wassersportmöglichkeiten

bobby ['bɒbi] *n* BRIT (*dated fam*) Polizist(in) *m(f)*

body ['bɒdi] *n* **1.** Körper *m;* **~ and soul** mit Leib und Seele **2.** + *sing/pl vb* (*organized group*) Gruppe *f;* **advisory ~** beratendes Gremium; **governing ~** Leitung *f* **3.** (*corpse*) Leiche *f;* (*of an animal*) Kadaver *m* **4.** (*substance*) *of hair* Fülle *f; of wine* Gehalt *m;* ▶ **over my dead ~** nur über meine Leiche

bodyguard *n* Bodyguard *m*

bog [bɒg] *n* **1.** (*wet ground*) Sumpf *m* **2.** BRIT, AUS (*sl*) Klo *nt* ◈ **bog down** *vt* **to be ~ged down** stecken bleiben

boil [bɔɪl] **I.** *n no pl* kochen; **to let sth come to the ~** etw aufkochen lassen **II.** *vi* **1.** FOOD kochen; **the kettle's ~ed!** das Wasser hat gekocht! **2.** CHEM den Siedepunkt erreichen **3.** (*fig fam: angry*) **to ~ with rage** vor Wut kochen **4.** (*fig fam*) **I'm ~ing** ich schwitze mich zu Tode **III.** *vt* **1.** (*heat*) kochen **2.** (*bring to boil*) zum Kochen bringen ◈ **boil**

away *vi* verkochen ◆ **boil down** I. *vi sauce* einkochen ▶ **it** **all** **~s down to ...** es läuft auf ... hinaus II. *vt* 1. *sauce* einkochen 2. (*fig: condense*) zusammenfassen

boiler ['bɔɪləʳ] *n* Boiler *m*

boiling ['bɔɪlɪŋ] *adj* 1. (*100 °C*) kochend 2. (*extremely hot*) sehr heiß; **I'm ~** ich komme um vor Hitze; **~ [hot] weather** unerträgliche Hitze

boisterous ['bɔɪstᵊrəs] *adj* 1. (*rough*) wild 2. (*exuberant*) übermütig

bold [bəʊld] *adj* 1. (*brave*) mutig; **to take a ~ step** ein Wagnis eingehen 2. *colour* kräftig; **~ brush strokes** kühne Pinselstriche; **printed in ~ type** fett gedruckt ▶ **as ~ as brass** frech wie Oskar

bolt [bəʊlt] I. *vi* 1. (*move quickly*) rasen 2. (*run away*) ausreißen II. *vt* 1. (*gulp down*) **to ~ sth ⇆ [down]** etw hinunterschlingen 2. (*fix*) **to ~ sth on[to] sth** etw mit etw *dat* verbolzen III. *n* 1. **~ of lightning** Blitz[-schlag] *m* 2. (*screw*) Schraubenbolzen *m*

bomb [bɒm] I. *n* Bombe *f;* **unexploded ~** Blindgänger *m;* ▶ **to go like a ~** ein Bombenerfolg sein II. *vt* bombardieren

bone [bəʊn] *n* 1. ANAT Knochen *m; of fish* Gräte *f* 2. *no pl* (*material*) Bein *nt;* **made of ~** aus Bein ▶ **to be a bag of ~s** nur noch Haut und Knochen sein; **to work one's fingers to the ~** sich abrackern

bonnet ['bɒnɪt] *n* 1. (*hat*) Mütze *f* 2. BRIT, AUS AUTO Motorhaube *f*

bony ['bəʊni] *adj* knochig

boo [bu:] I. *interj* (*fam*) 1. (*to surprise*) huh 2. (*to show disapproval*) buh II. *vi* buhen

book [bʊk] I. *n* 1. Buch *nt* 2. *pl* FIN **the ~s** die [Geschäfts]bücher *pl* ▶ **to do sth by the ~** etw nach Vorschrift machen II. *vt* 1. (*reserve*) buchen; **to ~ sth for sb** etw für jdn reservieren 2. (*by policeman*) verwarnen III. *vi* buchen, reservieren; **to ~ into a hotel** in ein Hotel einchecken; **to be fully ~ed** ausgebucht sein ◆ **book in** I. *vi esp* BRIT einchecken II. *vt* **to ~ sb ⇆ in** für jdn ein Hotel buchen ◆ **book up** *vi* buchen; **to be ~ed up** ausgebucht sein

booking ['bʊkɪŋ] *n* Reservierung *f;* **advance ~s** Vorreservierung[en] *f[pl]*; **a block ~** eine Gruppenreservierung; **to make a ~** etw buchen

booking office *n* Theaterkasse *f*

bookmaker *n* Buchmacher(in) *m(f)*

bookseller *n* Buchhändler(in) *m(f)*

bookshelf *n* Bücherregal *nt* **bookshop** *n* Buchgeschäft *nt* **bookstore** *n* AM Buchgeschäft *nt*

boom¹ [bu:m] ECON I. *vi* florieren II. *n* Boom *m,* Aufschwung *m*

boom² [bu:m] I. *n* Dröhnen *nt kein pl* II. *vi* **to ~ [out]** dröhnen

boot [bu:t] I. *n* 1. (*footwear*) Stiefel *m* 2. (*fam: kick*) Stoß *m;* **to give sb the ~** (*fig*) jdn hinauswerfen 3. BRIT AUTO (*for luggage*) Kofferraum *m;* AM AUTO (*wheel clamp*) Wegfahrsperre *f;* ▶ **to get too big for one's ~s** hochnäsig werden II. *vt* (*fam*) einen Tritt versetzen; **to be ~ed off sth** achtkantig aus etw *dat* fliegen ◆ **boot out** *vt* (*fam*) rausschmeißen

booth [bu:ð, bu:θ] *n* Kabine *f;* (*in a restaurant*) Sitzecke *f*

bootleg *adj* 1. (*sold illegally*) geschmuggelt 2. (*illegally made*) illegal hergestellt; **~ alcohol** schwarz gebrannter Alkohol; ~ **CDs** Raubpressungen *pl*

booty ['bu:ti] *n* AM (*sl*) Hintern *m*

bootylicious ['bu:tilɪʃəs] *adj* AM (*sl*) zum Reinbeißen *fam; butt* knackig

booze [bu:z] *n* (*fam*) **1.** *no pl* (*alcohol*) Alk *m;* **to be off the ~** nicht mehr trinken **2.** (*activity*) **to go out on the ~** auf Sauftour gehen

border ['bɔ:dəʳ] **I.** *n* **1.** (*frontier*) Grenze *f* **2.** (*edge*) Begrenzung *f* **II.** *vt* **1.** (*be or act as frontier*) grenzen an +*akk* **2.** (*bound*) begrenzen

border control *n* Grenzkontrolle *f*

bore[1] [bɔ:ʳ] *pt of* **bear**

bore[2] [bɔ:ʳ] **I.** *n* **1.** (*thing*) langweilige Sache; **what a ~** wie langweilig **2.** (*person*) Langweiler(in) *m(f)* **II.** *vt* langweilen

bore[3] [bɔ:ʳ] **I.** *vt* bohren **II.** *vi* **to ~ through/into** durchbohren

boredom ['bɔ:dəm] *n no pl* Langeweile *f*

boring ['bɔ:rɪŋ] *adj* langweilig

born [bɔ:n] *adj* geboren; **I was ~ in April** ich bin im April geboren; **she's a Dubliner ~ and bred** sie ist eine waschechte Dublinerin; **English-~** in England geboren

borne [bɔ:n] *vi pt of* **bear**

borough ['bʌrə] *n* Verwaltungsbezirk *m;* **the London ~ of Westminster** die Londoner Stadtgemeinde Westminster

borrow ['bɒrəʊ] **I.** *vt* leihen; **to ~ a book from a library** ein Buch aus einer Bibliothek ausleihen **II.** *vi* Geld leihen

bosom ['bʊzᵊm] *n usu sing* **1.** (*breasts*) Busen *m* **2.** (*fig*) **in the ~ of one's family** im Schoß der Familie

boss [bɒs] **I.** *n* Chef(in) *m(f);* **to be one's own ~** sein eigener Herr sein **II.** *vt* (*fam*) **to ~ sb** [**about**] jdn herumkommandieren

botanical [bə'tænɪkᵊl] *adj* botanisch

both [bəʊθ] **I.** *adj, pron* beide; **~ sexes** Männer und Frauen; **would you like milk or sugar or ~?** möchtest du Milch oder Zucker oder beides?; **a picture of ~ of us** ein Bild von uns beiden **II.** *adv* **I felt ~ happy and sad at the same time** ich war glücklich und traurig zugleich; **~ men and women** sowohl Männer als auch Frauen

bother ['bɒðəʳ] **I.** *n no pl* **1.** (*effort*) Mühe *f;* (*work*) Aufwand *m;* **it is no ~** [**at all**]**!** [überhaupt] kein Problem!; **to not be worth the ~** kaum der Mühe wert sein **2.** (*trouble*) Ärger *m;* **to get oneself into a spot of ~** sich in Schwierigkeiten bringen **3.** BRIT (*nuisance*) **to be a ~** lästig sein **II.** *vi* **don't ~!** lass nur!; **shall I wait? — no, don't ~** soll ich warten? — nein, nicht nötig; **you needn't have ~ed** du hättest dir die Mühe sparen können **IV.** *vt* **1.** (*worry*) beunruhigen; **it ~ed me that I hadn't done anything** es ließ mir keine Ruhe, dass ich nichts getan hatte; **what's ~ing you?** was hast du? **2.** (*concern*) **it doesn't ~ me** das macht mir nichts aus; **I'm not ~ed about what he thinks** es ist mir egal, was er denkt **3.** (*disturb*) stören; **I'm sorry to ~ you, but ...** entschuldigen Sie bitte [die Störung], aber ... **4.** (*annoy*) belästigen; **my tooth is ~ing me** mein Zahn macht mir zu schaffen

bottle ['bɒtl] **I.** *n* (*container*) Flasche *f;* **baby's ~** Fläschchen *nt;* **a ~ of milk**

eine Flasche Milch **II.** *vt* (*put into bottles*) abfüllen

bottle bank *n* BRIT Altglascontainer *m*

bottled ['bɒtl̩d] *adj* in Flaschen abgefüllt; ~ **beer** Flaschenbier *nt*

bottom ['bɒtəm] **I.** *n* **1.** (*lowest part*) Boden *m;* **pyjama ~s** Pyjamahose *f;* **at the ~ of the page** am Seitenende; **rock ~** (*fig*) Tiefststand *m;* **the ~ of the sea** der Meeresgrund; **at the ~ of the stairs** am Fuß der Treppe; **from top to ~** von oben bis unten; **to sink to the ~** auf den Grund sinken; **to start at the ~** ganz unten anfangen **2.** (*end*) **at the ~ of the garden** im hinteren Teil des Gartens; **at the ~ of the street** am Ende der Straße **3.** ANAT Hinterteil *nt* **II.** *adj* untere(r, s); **the ~ shelf** das unterste Regal **III.** *vi* ECON **to ~ out** seinen Tiefstand erreichen

bought [bɔːt] *vt pt of* **buy**

boulder ['bəʊldəʳ] *n* Felsbrocken *m*

bounce [baʊn(t)s] **I.** *n* **1.** *ball* Aufprall **2.** (*vitality*) Schwung *m* **3.** AM (*fam: eject, sack*) **to give sb the ~** jdn hinauswerfen **II.** *vi* **1.** *ball* aufspringen **2.** (*move up and down*) hüpfen **3.** FIN (*fam*) *cheque* platzen **III.** *vt* aufspringen lassen

bouncer ['baʊn(t)səʳ] *n* Rausschmeißer *m*

bound[1] [baʊnd] **I.** *vi* (*leap*) springen **II.** *n* (*leap*) Sprung *m*

bound[2] [baʊnd] *vt usu passive* (*border*) **to be ~ed by sth** von etw *dat* begrenzt werden

bound[3] [baʊnd] *adj* **where is this ship ~ for?** wohin fährt dieses Schiff?; **to be ~ for success** (*fig*) auf dem besten Weg sein, erfolgreich zu sein

bound[4] [baʊnd] **I.** *pt, pp of* **bind** **II.** *adj* **1.** (*certain*) **she's ~ to come** sie kommt ganz bestimmt; **to be ~ to happen** zwangsläufig geschehen; **it was ~ to happen** das musste so kommen **2.** (*obliged*) verpflichtet

boundary ['baʊndəri] *n* Grenze *f*

bout [baʊt] *n* Anfall *m;* **a ~ of coughing** ein Hustenanfall *m;* **drinking ~** Trinkgelage *nt*

bow[1] [bəʊ] *n* **1.** (*weapon*) Bogen *m;* **~ and arrow** Pfeil und Bogen **2.** (*knot*) Schleife *f*

bow[2] [baʊ] **I.** *vi* sich verbeugen (**to** vor); **to ~ to public pressure** (*fig*) sich öffentlichem Druck beugen **II.** *vt* **to ~ one's head** den Kopf senken **III.** *n* **1.** (*bending over*) Verbeugung *f;* **to take a ~** sich [unter Applaus] verbeugen **2.** NAUT Bug *m;* **in the ~[s]** im Bug

bowl[1] [bəʊl] *n* **1.** (*dish*) Schüssel *f;* (*shallower*) Schale *f;* **a ~ of soup** eine Tasse Suppe **2.** AM **the B~** das Stadion

bowl[2] [bəʊl] SPORTS **I.** *vi* **1.** (*in cricket*) werfen **2.** (*tenpins*) bowlen; (*skittles*) kegeln **II.** *vt* SPORTS **1.** (*bowling, cricket*) werfen **2.** (*cricket: dismiss*) **to ~ sb** jdn ausschlagen **III.** *n* Kugel *f;* **~s** + *sing vb* BRIT Bowls *pl*

bowler ['bəʊləʳ] *n* **1.** (*cricket*) Werfer(in) *m(f)* **2.** (*bowls*) Bowlsspieler(in) *m(f)*

bowling ['bəʊlɪŋ] *n no pl* **1.** (*tenpins*) Bowling *nt* **2.** (*in cricket*) Werfen *nt;* **to open the ~** den ersten Wurf machen

bowling alley *n* (*tenpin*) Bowlingbahn *f;* (*skittles*) Kegelbahn *f* **bowling green** *n* Rasenfläche *f* für Bowls

bow tie [bəʊ'taɪ] *n* FASHION Fliege *f*

box[1] [bɒks] **I.** *n* **1.** (*container*) Kiste *f;* *out of cardboard* Karton *m; of cigars,* *matches* Schachtel *f* **2.** FBALL (*fam*) Strafraum *m* **II.** *vt* **to ~ sth** [**up**] etw [in einen Karton] verpacken

box[2] [bɒks] *n* (*tree*) Buchsbaum *m*

box[3] [bɒks] **I.** *vi* boxen **II.** *vt* **to ~ sb** gegen jdn boxen **III.** *n* **to give sb a ~ on the ears** jdm eine Ohrfeige geben

boxer [ˈbɒksəʳ] *n* **1.** (*dog*) Boxer *m* **2.** (*person*) Boxer(in) *m(f)*

boxing [ˈbɒksɪŋ] *n no pl* Boxen *nt*

Boxing Day *n* BRIT, CAN zweiter Weihnachtsfeiertag, der 26. Dezember

boxing gloves *n pl* Boxhandschuhe *pl* **boxing match** *n* Boxkampf *m*

box number *n* Chiffre[nummer] *f* **box office** *n* Kasse *f* (*im Kino, Theater*)

boy [bɔɪ] **I.** *n* Junge *m;* ▸ **the big ~s** die Großen; **the ~s in blue** die Polizei; **~s will be ~s** Jungs sind nun mal so **II.** *interj* [**oh**] **~!** Junge, Junge!

boyfriend *n* Freund *m* **boy scout** *n* Pfadfinder *m*

bra [brɑː] *n* BH *m*

brace [breɪs] **I.** *n* **1.** (*for teeth*) Zahnspange *f* **2.** BRIT, AUS (*for trousers*) **~s** *pl* Hosenträger *pl* **3.** *esp* AM (*callipers*) **~s** *pl* Stützapparat *m* **II.** *vt* **1.** (*prepare for*) **to ~ oneself for sth** sich auf etw *akk* vorbereiten **2.** (*support*) [ab]stützen

bracelet [ˈbreɪslət] *n* Armband *nt*

brag <-gg-> [bræg] *vi, vt* **to ~** [**about sth**] [mit etw *dat*] prahlen

Braille [breɪl] *n no pl* Blindenschrift *f*

brain [breɪn] *n* **1.** (*organ*) Gehirn *nt;* **~s** *pl* [Ge]hirn *nt* **2.** (*intelligence*) Verstand *m;* **~s** *pl* Intelligenz *f kein pl;* **to have ~s** Grips haben **3.** (*fam: intelligent person*) heller Kopf; **the best ~s** die fähigsten Köpfe ▸ **to have sth on the ~** immer nur an etw *akk* denken

brake [breɪk] **I.** *n* Bremse *f* **II.** *vi* bremsen; **to ~ hard** scharf bremsen

bran [bræn] *n no pl* Kleie *f*

branch [brɑːn(t)ʃ] **I.** *n* **1.** (*of a bough*) Zweig *m;* (*of the trunk*) Ast *m* **2.** *esp* AM **~ of a river** Flussarm *m* **3.** (*local office*) Zweigstelle *f* **II.** *vi* (*fig*) sich gabeln ◆ **branch off I.** *vi* sich verzweigen **II.** *vt* **to ~ off a subject** vom Thema abkommen

branch office *n* Filiale *f*

brand [brænd] **I.** *n* **1.** (*product*) Marke *f;* **own ~** Hausmarke *f* **2.** (*mark*) Brandzeichen *nt* **II.** *vt* (*fig, pej*) **to be ~ed** [**as**] **sth** als etw gebrandmarkt sein

brand new *adj* [funkel]nagelneu *fam*

brandy [ˈbrændi] *n* Weinbrand *m*

brass [brɑːs] *n* **1.** (*metal*) Messing *nt* **2.** (*engraving*) Gedenktafel *f* (*aus Messing*)

brass band *n* Blaskapelle *f*

brassiere [ˈbræsɪəʳ] *n* (*dated form*) Büstenhalter *m*

brave [breɪv] **I.** *adj* mutig ▸ **to put on a ~ face** sich *dat* nichts anmerken lassen **II.** *vt* trotzen

brawl [brɔːl] **I.** *n* [lautstarke] Schlägerei **II.** *vi* sich [lautstark] schlagen

bray [breɪ] **I.** *vi donkey* schreien **II.** *n* [Esels]schrei *m*

bread [bred] *n no pl* Brot *nt*

breadcrumb *n* Brotkrume *f;* **~s** *pl* (*for coating food*) Paniermehl *nt kein pl;* **to coat with ~s** panieren

break [breɪk] **I.** *n* **1.** (*fracture*) Bruch *m* **2.** (*gap*) Lücke *f* **3.** (*escape*) Ausbruch *m;* **to make a ~** ausbrechen **4.** (*interruption*) Unterbrechung *f; esp* BRIT SCH Pause *f;* **coffee ~** Kaffeepause *f;* **commercial ~** *im Fernsehen, Radio* Werbung *f;* **a short ~ in Paris**

ein Kurzurlaub in Paris ► **give me a ~!** hör auf [damit]! **II.** *vt* <broke, broken> **1.** (*shatter*) zerbrechen; (*damage*) kaputtmachen; *window* einschlagen; **to ~ one's arm** sich *dat* den Arm brechen; **to ~ a tooth** sich *dat* einen Zahn abbrechen **2.** (*momentarily interrupt*) unterbrechen; *fall* abfangen **3.** (*put an end to*) brechen **4.** (*violate*) *agreement* verletzen **5.** (*tell*) *news* **to ~ sth to sb** jdm etw mitteilen **III.** *vi* <broke, broken> **1.** (*stop working*) kaputtgehen; (*collapse*) zusammenbrechen; (*shatter*) zerbrechen **2.** (*interrupt*) **shall we ~ [off] for lunch?** machen wir Mittagspause? **3.** (*change in voice*) **the boy's voice is ~ing** der Junge ist [gerade] im Stimmbruch **4.** *dawn, day* anbrechen **5.** *news* bekannt werden ► **to ~ loose** sich losreißen ◆ **break down I.** *vi* **1.** (*stop working*) stehen bleiben **2.** *marriage* scheitern **II.** *vt* **1.** (*force open*) aufbrechen **2.** CHEM aufspalten ◆ **break in I.** *vi* **1.** (*enter by force*) einbrechen **2.** (*interrupt*) unterbrechen **II.** *vt* **1.** (*condition*) *shoes* einlaufen **2.** (*tame*) zähmen ◆ **break into** *vi* **1.** (*forcefully enter*) einbrechen in +*akk* **2.** (*start doing sth*) **to ~ into applause** in Beifall ausbrechen ◆ **break off I.** *vt* **1.** (*separate forcefully*) abbrechen **2.** *engagement* lösen **II.** *vi* abbrechen ◆ **break out** *vi* **1.** (*escape*) ausbrechen **2.** (*begin*) ausbrechen; *storm* losbrechen **3. to ~ out in a rash** einen Ausschlag bekommen; **I broke out in a cold sweat** mir brach der kalte Schweiß aus ◆ **break up I.** *vt* **1.** (*end*) beenden **2.** (*split up*) aufspalten; *gang, monopoly* zerschlagen **II.** *vi* **1.** (*end relationship*) sich trennen **2.** (*come to an end*) enden; *marriage* scheitern **3.** (*fall apart*) auseinandergehen; *coalition* auseinanderbrechen **4.** SCH **when do you ~ up?** wann beginnen bei euch die Ferien? **5.** (*laugh*) loslachen **6.** *esp* AM (*be upset*) zusammenbrechen

breakable ['breɪkəbl] *adj* zerbrechlich

breakdown *n* **1.** (*collapse*) Zusammenbruch *m* **2.** AUTO Panne *f* **3.** (*list*) Aufgliederung *f* **4.** PSYCH [Nerven]zusammenbruch *m*

breakdown lorry *n* BRIT Abschleppwagen *m* **breakdown service** *n* Abschleppdienst *m*

breakfast ['brekfəst] **I.** *n* Frühstück *nt;* **to have ~** frühstücken **II.** *vi* (*form*) frühstücken

breast [brest] *n* Brust *f;* (*bust*) Busen *m;* ► **to make a clean ~ of sth** etw gestehen

breast-feed <-fed, -fed> *vi, vt* stillen

breaststroke *n no pl* Brustschwimmen *nt;* **to do [the] ~** brustschwimmen

breath [breθ] *n* **1.** (*air*) Atem *m;* (*act of breathing in*) Atemzug *m;* **bad ~** Mundgeruch *m;* **out of ~** außer Atem; **to take sb's ~ away** jdm den Atem rauben; **to waste one's ~** in den Wind reden **2.** *no pl* (*wind*) **a ~ of air** ein Hauch *m*

breathalyze ['breθəlaɪz] *vt* **to ~ sb** jdn pusten lassen

breathe [bri:ð] **I.** *vi* atmen; **to ~ again/more easily** (*fig*) [erleichtert] aufatmen ► **to ~ down sb's neck** jdm im Nacken sitzen **II.** *vt* (*exhale*) [aus]atmen; **to ~ a sigh of relief** erleichtert aufatmen

breathing ['bri:ðɪŋ] *n no pl* Atmung *f*

breathing apparatus *n* Sauerstoffgerät *nt*

breathless ['breθləs] *adj* atemlos

breathtaking *adj* atemberaubend

breed [bri:d] **I.** *vt* <**bred, bred**> züchten **II.** *vi* <**bred, bred**> sich fortpflanzen **III.** *n* **1.** (*of animal*) Rasse *f* **2.** (*fam: of person*) Sorte *f;* **to be a dying ~** einer aussterbenden Gattung angehören

breeze [bri:z] **I.** *n* Brise *f* **II.** *vi* **to ~ through sth** etw spielend schaffen

brewery ['bru:ᵊri] *n* Brauerei *f*

bribe [braɪb] **I.** *vt* bestechen **II.** *n* Bestechung *f;* **to take a ~** sich bestechen lassen

bribery ['braɪbᵊri] *n no pl* Bestechung *f*

brick [brɪk] *n* Backstein *m*

bride [braɪd] *n* Braut *f*

bridegroom ['braɪdgrʊm, -gru:m] *n* Bräutigam *m*

bridesmaid *n* Brautjungfer *f*

bridge [brɪʤ] **I.** *n* **1.** Brücke *f* **2.** (*of glasses*) Brillensteg *m* **3.** (*on ship*) Kommandobrücke *f* **II.** *vt* **to ~ sth** über etw *akk* eine Brücke schlagen; (*fig*) *gap* etw überwinden

bridle ['braɪdl] **I.** *n* Zaumzeug *nt* **II.** *vt* aufzäumen **III.** *vi* **to ~ at sth** sich über etw *akk* entrüsten

bridle path, bridleway *n* Reitweg *m*

brief [bri:f] **I.** *adj* kurz; **to be ~** sich kurz fassen; **in ~** kurz gesagt **II.** *n* **1.** BRIT, AUS (*instructions*) Anweisungen *pl* **2.** *pl* **~s** *pl* (*underpants*) Slip *m* **III.** *vt* informieren

briefcase ['bri:fkeɪs] *n* Aktentasche *f*

briefing ['bri:fɪŋ] *n* [Einsatz]besprechung *f*

bright [braɪt] **I.** *adj* **1.** (*shining*) *light* hell; (*blinding*) grell **2.** (*vivid*) **~ blue** strahlend blau **3.** (*intelligent*) intelligent; *child* aufgeweckt **4.** (*promising*) viel versprechend **II.** *n* AM AUTO **~s** *pl* Fernlicht *nt*

brighten ['braɪtᵊn] **I.** *vt* **to ~ [up]** ⇆ **sth 1.** (*make brighter*) etw heller machen **2.** (*make look more cheerful*) etw auflockern; *room* freundlicher machen **3.** (*make more promising*) etw verbessern; **to ~ sb's life** Freude in jds Leben bringen **II.** *vi* **to ~ [up]** **1.** (*become cheerful*) fröhlicher werden; *face* sich *akk* aufhellen **2.** (*become more promising*) *prospects* besser werden; *weather* sich *akk* aufklären, aufheitern

brilliant ['brɪliənt] **I.** *adj* **1.** (*brightly shining*) *colour, eyes* leuchtend **2.** (*clever*) *person* hoch begabt **3.** BRIT (*fam: excellent*) hervorragend **II.** *interj* BRIT (*fam*) toll!

bring <**brought, brought**> [brɪŋ] *vt* **1.** (*convey*) mitbringen; **to ~ sth to sb's attention** jdn auf etw *akk* aufmerksam machen **2.** (*cause to come/happen*) bringen; **her screams brought everyone running** durch ihre Schreie kamen alle zu ihr gerannt **3.** (*force*) **to ~ oneself to do sth** sich [dazu] durchringen, etw zu tun ◆ **bring about** *vt* **1.** (*cause*) verursachen **2.** (*achieve*) **to have been brought about by sth** durch etw *akk* zustande gekommen sein ◆ **bring along** *vt* mitbringen ◆ **bring back** *vt* zurückbringen ◆ **bring down** *vt* **1.** (*fetch down*) herunterbringen **2.** (*make fall over*) zu Fall bringen **3.** (*reduce*) senken ▶ **to ~ the house down** einen Beifallssturm auslösen ◆ **bring forward** *vt* vorverlegen ◆ **bring in** *vt* **1.** (*fetch* *in*) hereinbringen; *harvest* einbringen **2.** (*earn*) [ein]bringen ◆ **bring on** *vt* (*cause to occur*) herbeiführen; MED verursachen; **you brought it on yourself** du bist selbst schuld ◆ **bring out** *vt* **1.** (*fetch out*) herausbringen **2.** BRIT, AUS (*encourage*) **to ~ sb out** jdm die Hemmungen nehmen **3.** (*reveal*) zum Vorschein bringen ◆ **bring round** *vt esp* BRIT (*fetch round*) mitbringen ◆ **bring up** *vt* **1.** (*carry up*) heraufbringen **2.** (*rear*) großziehen; **a well brought-up child** ein gut erzogenes Kind **3.** (*mention*) zur Sprache bringen; **to ~ sth up for discussion** etw zur Diskussion stellen ▸ **to ~ up the rear** das Schlusslicht bilden

Britain ['brɪtᵊn] *n* Großbritannien *nt*

British ['brɪtɪʃ] **I.** *adj* britisch **II.** *n pl* **the ~** die Briten *pl*

Briton ['brɪtᵊn] *n* Brite(in) *m(f)*

broad [brɔ:d] **I.** *adj* **1.** (*wide*) breit **2.** (*obvious*) **a ~ hint** ein Wink *m* mit dem Zaunpfahl **3.** (*general*) allgemein **4.** (*wide-ranging*) weitreichend **5.** (*strong*) *accent, grin* breit **II.** *n* AM (*sl*) Tussi *f*

broad bean *n* dicke Bohne

broadly ['brɔ:dli] *adv* **1.** (*widely*) breit **2.** (*generally*) allgemein; **~ speaking, ...** ganz allgemein gesehen, ...

broadminded *adj* (*approv*) tolerant

broccoli ['brɒkᵊli] *n no pl* Brokkoli *m*

brochure ['brəʊʃəʳ] *n* Broschüre *f*

broke [brəʊk] **I.** *pt of* **break II.** *adj* (*fam*) pleite

broken ['brəʊkᵊn] **I.** *pp of* **break II.** *adj* **1.** *arm* gebrochen; *bottle* zerbrochen; **~ glass** Glasscherben *pl* **2. in ~ English** in gebrochenem Englisch

broken-down *adj* kaputt **broken-hearted** *adj* untröstlich

brolly ['brɒli] *n* BRIT, AUS (*fam*) Schirm *m*

bronze [brɒnz] *n* Bronze *f*

brooch <*pl* -es> [brəʊtʃ] *n* Brosche *f*

broom [bru:m, brʊm] *n* Besen *m*

broomstick ['bru:mstɪk, 'brʊm-] *n* Besenstiel *m*

broth [brɒθ] *n no pl* Brühe *f*

brother ['brʌðəʳ] **I.** *n* Bruder *m;* **~s and sisters** Geschwister *pl;* **~s in arms** Waffenbrüder *pl* **II.** *interj* (*fam*) Mann!

brother-in-law <*pl* brothers-in-law> *n* Schwager *m*

brought [brɔ:t] *pp, pt of* **bring**

brown [braʊn] **I.** *n* Braun *nt* **II.** *adj* braun

brown bread *n no pl locker gebackenes Brot aus dunklerem Mehl, etwa wie Mischbrot* **brown paper** *n no pl* Packpapier *nt* **brown rice** *n no pl* ungeschälter Reis

browse [braʊz] **I.** *vi* **1. to ~ through a magazine** eine Zeitschrift durchblättern **2. to ~ [around a shop]** sich [in einem Geschäft] umsehen **II.** *n no pl* **1. to have a ~ around** sich umsehen **2. to have a ~ through a magazine** eine Zeitschrift durchblättern

bruise [bru:z] **I.** *n* **1.** blauer Fleck **2.** (*on fruit*) Druckstelle *f* **II.** *vt* **to ~ one's arm** sich am Arm stoßen **III.** *vi* einen blauen Fleck bekommen; *fruit* Druckstellen bekommen

brush [brʌʃ] **I.** *n* <*pl* -es> **1.** (*for hair, cleaning*) Bürste *f;* (*for painting*) Pinsel *m* **2.** *no pl* (*act*) Bürsten *nt;* **to give sth a ~** etw abbürsten **3.** (*encounter*) Zusammenstoß *m;* **to have a ~ with the law** mit dem Gesetz in

Konflikt geraten **II.** *vt* **1.** (*clean*) abbürsten; **to ~ one's hair** sich *dat* die Haare bürsten **2.** (*touch lightly*) leicht berühren **III.** *vi* **to ~ against** streifen ◆ **brush aside** *vt* **1.** (*move aside*) wegschieben **2.** *thing* abtun ◆ **brush away** *vt* **1.** (*wipe*) wegwischen **2.** (*dismiss*) [aus seinen Gedanken] verbannen ◆ **brush off** *vt* **1.** (*remove with brush*) abbürsten **2.** (*ignore*) *person* abblitzen lassen; *thing* zurückweisen ◆ **brush up I.** *vi* **to ~ up on sth** etw auffrischen **II.** *vt* auffrischen

brush-off *n no pl* **to get the ~ from sb** von jdm einen Korb bekommen; **to give sb the ~** jdm eine Abfuhr erteilen

Brussels ['brʌsəlz] *n no pl* Brüssel *nt*

Brussel(s) sprout *n* Rosenkohl *m kein pl,* Kohlsprosse *f* ÖSTERR

brutal ['bru:təl] *adj* brutal

bubble ['bʌbl] **I.** *n* Blase *f;* **to blow a ~** eine Seifenblase machen **II.** *vi* kochen *a. fig; coffee, stew* brodeln; *boiling water, fountain* sprudeln; *champagne* perlen ◆ **bubble over** *vi* **to ~ over with sth** vor etw *dat* [über]sprudeln

bubble bath *n* Schaumbad *nt* **bubble gum** *n* Bubble Gum® *m*

bubbly ['bʌbli] **I.** *n no pl* (*fam*) Schampus *m* **II.** *adj* **1.** *drink* sprudelnd **2.** *person* temperamentvoll

bucket ['bʌkɪt] *n* **1.** (*pail*) Eimer *m* **2.** (*fam: large amounts*) **~s** *pl* Unmengen *pl*

bucketful <*pl* -s> *n* Eimer *m*

buckle ['bʌkl] **I.** *n* Schnalle *f* **II.** *vt belt* [zu]schnallen ◆ **buck up I.** *vi* (*fam*) **1.** (*cheer up*) [wieder] Mut fassen; **~ up!** Kopf hoch! **2.** (*hurry up*) sich beeilen **II.** *vt* **to ~ sb up** jdn aufmuntern [*o* aufheitern] ▶ **to ~ one's ideas up** sich zusammenreißen

bud [bʌd] *n* Knospe *f;* **to be in ~** Knospen haben

buddy ['bʌdi] *n* AM (*fam*) Kumpel *m*

budge [bʌdʒ] **I.** *vi* **1.** (*move*) sich [vom Fleck] rühren **2.** (*change mind*) nachgeben; **to ~ from sth** von etw *dat* abrücken **II.** *vt* **1.** (*move*) [von der Stelle] bewegen **2.** (*cause to change mind*) umstimmen

budgerigar ['bʌdʒərɪgɑ:r] *n* Wellensittich *m*

budget ['bʌdʒɪt] **I.** *n* Budget *nt;* **the B~** der öffentliche Haushalt[splan] **II.** *vi* **to ~ for sth** etw [im Budget] vorsehen **III.** *adj* preiswert; **~ travel** Billigreisen *pl*

buffalo <*pl* -> ['bʌfələʊ] *n* Büffel *m*

buffet[1] ['bʊfeɪ, 'bʌ-] *n* Büfett *nt*

buffet[2] ['bʌfɪt] *vt* [heftig] hin und her bewegen

buffet car *n esp* BRIT ≈ Speisewagen *m*

bug [bʌg] **I.** *n* **1.** (*insect*) **~s** *pl* Ungeziefer *nt kein pl;* **bed ~** Bettwanze *f* **2.** COMPUT Bug *m* **3.** (*listening device*) Wanze *f* **II.** *vt* <-gg-> **1.** (*install bugs*) verwanzen **2.** (*fam: annoy*) **to ~ sb [about sth]** jdm [mit etw] auf die Nerven gehen; **stop ~ging me!** hör auf zu nerven!

bugger ['bʌgər] **I.** *n* BRIT, AUS (*vulg*) Scheißkerl *m;* **poor ~** (*sl*) armes Schwein ▶ **it's got ~ all to do with you!** BRIT, AUS (*vulg*) das geht dich einen Dreck an! **II.** *interj* BRIT, AUS (*vulg*) **~!** Scheiße! **III.** *vt* BRIT, AUS (*sl: ruin*) ruinieren ◆ **bugger off** *vi* (*sl*) abhauen

buggy ['bʌgi] *n* **1.** BRIT (*pushchair*)

Buggy *m* **2.** AM (*pram*) Kinderwagen *m*

build [bɪld] **I.** *n no pl* Körperbau *m* **II.** *vt* <built, built> **1.** (*construct*) bauen; *building a.* errichten **2.** (*fig*) aufbauen **III.** *vi* <built, built> **1.** (*construct*) bauen **2.** (*increase*) zunehmen ◆ **build up I.** *vt* aufbauen **II.** *vi* (*increase*) zunehmen; *traffic* sich verdichten

builder ['bɪldəʳ] *n* Bauarbeiter(in) *m(f)*

building ['bɪldɪŋ] *n* Gebäude *nt*

building site *n* Baustelle *f* **building society** *n* BRIT, AUS Bausparkasse *f*

built [bɪlt] *pp, pt of* **build**

built-in ['bɪltɪn] *adj* eingebaut; ~ **cupboard** Einbauschrank *m*

built-up ['bɪltʌp] *adj* **1.** *area* verbaut **2.** *shoes* erhöht

bulb [bʌlb] *n* **1.** BOT Zwiebel *f* **2.** ELEC [Glüh]birne *f*

bulky ['bʌlki] *adj person* massig; *object* sperrig

bull [bʊl] *n* Stier *m*, Bulle *m*; ▶ **like a ~ in a china shop** wie ein Elefant im Porzellanladen; **to take the ~ by the horns** den Stier bei den Hörnern packen

bulldog *n* Bulldogge *f* **bulldozer** ['bʊldəʊzəʳ] *n* Bulldozer *m*

bullet ['bʊlɪt] *n* Kugel *f*; ~ **hole** Einschussloch *nt*; ~ **wound** Schusswunde *f*; ▶ **to bite the ~** in den sauren Apfel beißen; **to give sb the ~** jdn feuern

bulletin board *n* schwarzes Brett

bullfight *n* Stierkampf *m* **bullshit** (*fam!*) **I.** *n no pl* Schwachsinn *m* **II.** *vi* <-tt-> Scheiß erzählen

bully ['bʊli] **I.** *n* Rabauke *m*; **you're a big ~** du bist ein ganz gemeiner Kerl **II.** *vt* <-ie-> tyrannisieren

bum [bʌm] **I.** *n* **1.** (*good-for-nothing*) Penner *m* **2.** *esp* BRIT, AUS (*fam: bottom*) Hintern *m* **II.** *adj* (*pej fam*) mies; ~ **rap** AM ungerechte Behandlung **III.** *vt* <-mm-> (*fam*) **to ~ sth off sb** etw von jdm schnorren

bumblebee ['bʌmblbi:] *n* Hummel *f*

bump [bʌmp] **I.** *n* **1.** (*on head*) Beule *f*; (*in road*) Unebenheit *f* **2.** (*thud*) Bums *m*; **to go ~** rumsen **II.** *vt* **1.** AUTO zusammenstoßen mit +*dat* **2. to ~ one's head** sich am Kopf stoßen **III.** *vi* **to ~ along** entlangrumpeln

bumper ['bʌmpəʳ] *n* Stoßstange *f*

bumpy ['bʌmpi] *adj* holp[e]rig; *flight, ride* unruhig

bun [bʌn] *n* **1.** (*pastry*) [rundes] Gebäckstück **2.** *esp* AM (*bread roll*) Brötchen *nt*

bunch <*pl* -es> [bʌn(t)ʃ] **I.** *n* **1.** (*group*) *of flowers* Strauß *m*; *of people* Haufen *m*; ~ **of keys** Schlüsselbund *m*; **a whole ~ of problems** jede Menge Probleme **2.** (*wad*) **in a ~** aufgebauscht **II.** *vt* bündeln **III.** *vi* sich bauschen

bundle ['bʌndl] **I.** *n* Bündel *nt*; **a ~ of nerves** (*fig*) ein Nervenbündel **II.** *vt* **to ~ sb into the car** jdn ins Auto verfrachten

bung [bʌŋ] **I.** *n esp* BRIT Pfropfen *m* **II.** *vt* **1.** *esp* BRIT **to be ~ed up** verstopft sein **2.** *esp* BRIT, AUS (*fam: throw*) schmeißen

bunk [bʌŋk] **I.** *n* **1.** (*in boat*) Koje *f* **2.** (*part of bed*) **bottom/top ~** unteres/oberes Bett (*eines Etagenbetts*) ▶ **to do a ~** BRIT, AUS [heimlich] abhauen **II.** *vi* (*fam*) **to ~ [down]** sich aufs Ohr legen

bunk bed *n* Etagenbett *nt*

bunny ['bʌni] *n* (*childspeak*) Häschen *nt*

bureau <*pl* -x *or* AM, AUS *usu* -s> ['bjʊərəʊ] *n* **1.** (*government department*) Amt *nt,* Behörde *f* **2.** AM (*office*) [Informations]büro *nt* **3.** BRIT (*desk*) Sekretär *m* **4.** AM (*chest of drawers*) Kommode *f*

burger ['bɜːgəʳ] *n* (*fam*) *short for* **hamburger** [Ham]burger *m*

burglar ['bɜːgləʳ] *n* Einbrecher(in) *m(f)*

burglary ['bɜːglᵊri] *n* Einbruch[diebstahl] *m*

burgle ['bɜːgl̩] *vt* BRIT, AUS einbrechen in; **they were ~d** bei ihnen wurde eingebrochen

burn [bɜːn] **I.** *n* **1.** (*injury*) Verbrennung *f* **2.** (*damage*) Brandfleck *m* **II.** *vi* <burnt, burnt> **1.** (*be in flames*) brennen; *house* in Flammen stehen **2.** FOOD anbrennen **3.** (*sunburn*) einen Sonnenbrand bekommen **III.** *vt* <burnt, burnt> **1.** (*damage with heat*) verbrennen **2.** FOOD anbrennen lassen **3.** (*sunburn*) **to be ~t** einen Sonnenbrand haben ◆ **burn down I.** *vt* abbrennen **II.** *vi building* niederbrennen ◆ **burn out I.** *vi* **1.** *fire, candle* herunterbrennen **2.** *rocket* ausbrennen **3.** AM (*fam: reach saturation*) **to ~ out on sth** etw schnell überhaben **II.** *vt* **1.** (*stop burning*) **the candle ~t itself out** die Kerze brannte herunter **2.** (*person*) **to ~ [oneself] out** sich völlig verausgaben ◆ **burn up I.** *vi* verbrennen **II.** *vt calories* verbrauchen

burning ['bɜːnɪŋ] **I.** *adj* **1.** (*on fire*) brennend; *face* glühend **2.** (*controversial*) *issue* heiß diskutiert; *question* brennend **II.** *n no pl* **there's a smell of ~** es riecht verbrannt

burnt [bɜːnt] **I.** *vt, vi pt, pp of* **burn** **II.** *adj* (*completely*) verbrannt; (*partly*) *food* angebrannt

burp [bɜːp] **I.** *n* Rülpser *m; of a baby* Bäuerchen *nt* **II.** *vi* rülpsen *fam; baby* ein Bäuerchen machen

burrow ['bʌrəʊ] **I.** *n* Bau *m* **II.** *vt* graben

burst [bɜːst] **I.** *n* **~ of laughter** Lachsalve *f;* **~ of speed** Spurt *m* **II.** *vi* <burst, burst> **1.** (*explode*) platzen **2.** (*fig*) **to be ~ing to do sth** darauf brennen, etw zu tun **3.** (*be full*) *suitcase* zum Bersten voll sein; **to be ~ing with curiosity** vor Neugier platzen **III.** *vt* <burst, burst> zum Platzen bringen ◆ **burst in** *vi* herein-/hineinstürzen; **to ~ in on sb** bei jdm hereinplatzen; **to ~ in on a meeting** in eine Versammlung hineinplatzen ◆ **burst out** *vi* **1.** (*hurry out*) herausstürzen **2.** (*commence*) **to ~ out crying/laughing** in Tränen/Gelächter ausbrechen

bury <-ie-> ['beri] *vt person* begraben; *thing* vergraben

bus [bʌs] **I.** *n* <*pl* -es> [Omni]bus *m;* **to go by ~** mit dem Bus fahren **II.** *vt* <-ss-> mit dem Bus befördern **III.** *vi* <-ss-> mit dem Bus fahren

bus driver *n* Busfahrer(in) *m(f)*

bush <*pl* -es> [bʊʃ] *n* **1.** Busch *m;* **in the ~es** im Gebüsch **2.** (*fig*) **~ of hair** [dichtes] Haarbüschel ▸ **to beat about the ~** um den heißen Brei herumreden

bushy ['bʊʃi] *adj* buschig

business <*pl* -es> ['bɪznɪs] *n* **1.** *no pl* (*commerce*) Handel *m;* **on ~** beruflich **2.** *no pl* (*sales volume*) Geschäft *nt;* **how's ~?** was machen die Geschäfte? **3.** (*profession*) Branche *f;* **what line of ~ are you in?** in welcher Branche sind Sie tätig? **4.** *no pl* (*matter*) Angelegenheit *f;* **that's none of your ~** das geht dich nichts an ▶ **to be ~ as usual** den gewohnten Gang gehen; **to get down to ~** zur Sache kommen

business card *n* Visitenkarte *f* **business hours** *n pl* Geschäftszeiten *pl*

businesslike *adj* geschäftsmäßig, sachlich **businessman** *n* Geschäftsmann *m;* (*leader*) Manager *m;* (*entrepreneur*) Unternehmer *m* **business trip** *n* Dienstreise *f,* Geschäftsreise *f* **businesswoman** *n* Geschäftsfrau *f;* (*leader*) Managerin *f;* (*entrepreneur*) Unternehmerin *f*

busker [ˈbʌskəʳ] *n* Straßenmusikant(in) *m(f)*

bus service *n* Busverbindung *f* **bus station** *n* Busbahnhof *m* **bus stop** *n* Bushaltestelle *f*

bust[1] [bʌst] *n* **1.** (*statue*) Büste *f* **2.** (*breasts*) Büste *f*

bust[2] [bʌst] **I.** *n* **1.** (*recession*) [wirtschaftlicher] Niedergang **2.** (*sl: police raid*) Razzia *f* **II.** *adj* (*fam*) **1.** (*broken*) kaputt **2.** (*bankrupt*) **to go ~** Pleite machen **III.** *vt* <bust, bust> (*fam*) kaputtmachen

bust-up [ˈbʌstʌp] *n* BRIT, AUS (*fam*) Krach *m*

busy [ˈbɪzi] *adj* **1.** (*occupied*) beschäftigt; **I'm very ~ this week** ich habe diese Woche viel zu tun **2.** (*active*) *day* arbeitsreich; **I've had a ~ day** ich hatte heute viel zu tun

but [bʌt, bət] **I.** *conj* **1.** (*although, however*) aber; **~ then I'm no expert** ich bin allerdings keine Expertin **2.** (*except*) als **3.** (*rather*) sondern; **not only ... ~ also ...** nicht nur ..., sondern auch ... **II.** *prep* außer +*dat;* **last ~ one** vorletzte(r, s); **anything ~** alles außer; **nothing ~ trouble** nichts als Ärger **III.** *adv* (*form: only*) nur ▶ **~ for** bis auf; **~ then [again]** (*on the other hand*) andererseits; (*after all*) schließlich

butcher [ˈbʊtʃəʳ] **I.** *n* Metzger(in) *m(f)* **II.** *vt* schlachten

butt [bʌt] **I.** *n* **1.** *of rifle* Kolben *m; of cigarette* Stummel *m* **2.** AM (*sl*) Hintern *m;* **to get off one's ~** seinen Hintern in Bewegung setzen **II.** *vt* **to ~ sb/sth** jdm/etw einen Stoß mit dem Kopf versetzen **III.** *vi person* mit dem Kopf stoßen

butter [ˈbʌtəʳ] **I.** *n no pl* Butter *f* **II.** *vt* mit Butter bestreichen

butter-dish *n* Butterdose *f*

butterfly [ˈbʌtəflaɪ] *n* Schmetterling *m*

button [ˈbʌtᵊn] **I.** *n* **1.** (*on clothes*) Knopf *m* **2.** TECH Knopf *m;* **to push a ~** auf einen Knopf drücken **3.** AM (*badge*) Button *m* **II.** *vt* zuknöpfen ▶ **to ~ it** den Mund halten

buy [baɪ] **I.** *n* Kauf *m* **II.** *vt* <bought, bought> **1. to ~ sb sth** jdm etw kaufen; **to ~ sth from sb** jdm etw abkaufen **2.** (*fam: believe*) abkaufen ◆ **buy back** *vt* zurückkaufen ◆ **buy off** *vt* kaufen ◆ **buy out** *vt company* aufkaufen; *person* auszahlen ◆ **buy up** *vt* aufkaufen

buyer [ˈbaɪəʳ] *n* Käufer(in) *m(f);* (*as job*) Einkäufer(in) *m(f)*

buzz [bʌz] **I.** *vi bee, buzzer* summen; **my head was ~ing** mir schwirrten alle möglichen Gedanken durch den Kopf; **the room was ~ing with conversation** das Zimmer war von Stimmengewirr erfüllt **II.** *vt* (*telephone*) anrufen **III.** *n* <*pl* -es> **1.** *of a bee, buzzer* Summen *nt; of a fly* Brummen *nt;* ~ **of conversation** Stimmengewirr *nt* **2.** (*call*) **to give sb a ~** jdn anrufen ◆ **buzz around** *vi* herumschwirren ◆ **buzz off** *vi* (*fam!*) abzischen

buzzer ['bʌzəʳ] *n* Summer *m*

by [baɪ] **I.** *prep* **1.** (*beside*) bei +*dat,* an +*dat;* **come and sit ~ me** komm und setz dich zu mir **2. ~ the arm** am Arm; **~ the hand** bei der Hand **3.** (*not later than*) bis; **~ 14 February** [spätestens] bis zum 14.02.; **~ now** inzwischen **4.** (*during*) bei +*dat;* **~ candlelight** bei Kerzenlicht; **~ day** tagsüber **5.** (*happening progressively*) **day ~ day** Tag für Tag **6.** (*agent*) von +*dat;* **a painting ~ Picasso** ein Gemälde von Picasso **7.** (*by means of*) durch +*akk,* mit +*dat;* **~ train** mit dem Zug; **~ chance** durch Zufall; **~ contrast** im Gegensatz **8.** (*according to*) nach +*dat,* von +*dat;* **~ birth** von Geburt; **~ law** dem Gesetz nach **9.** (*quantity*) **~ the hour** stundenweise; **~ the metre** *am Meter* **10.** (*margin*) um +*akk;* **to go up ~ 20%** um 20 % steigen **11.** MATH **8 divided ~ 4 equals 2** 8 geteilt durch 4 ist 2 **II.** *adv* **1.** (*past*) vorbei; **time goes ~ so quickly** die Zeit vergeht so schnell **2. close ~** ganz in der Nähe ► **~ and large** im Großen und Ganzen

bye [baɪ] *interj,* **bye-bye** [ˌbaɪ'baɪ] *interj* (*fam*) tschüs

bypass I. *n* **1.** TRANSP Umgehungsstraße *f* **2.** MED Bypass *m* **II.** *vt* (*detour*) umfahren

by-product *n* Nebenprodukt *nt;* (*fig*) Begleiterscheinung *f*

C

C <*pl* -'s>, **c** <*pl* -'s> [siː] *n* **1.** C *nt,* c *nt; see also* **A 1 2.** MUS C *nt,* c *nt;* **~ flat** Ces *nt,* ces *nt;* **~ sharp** Cis *nt,* cis *nt* **3.** (*school mark*) ≈ Drei *f,* ≈ befriedigend

C **1.** *after n abbrev of* **Celsius** C **2.** *abbrev of* **cancer**: **the Big ~** (*fam*) Krebs *m*

cab [kæb] *n* **1.** (*of a truck*) Führerhaus *nt* **2.** (*taxi*) Taxi *nt*

cabbage ['kæbɪdʒ] *n* Kohl *m kein pl*

cabbie *n,* **cabby** ['kæbi] *n, esp* AM **cabdriver** *n* Taxifahrer(in) *m(f)*

cabin ['kæbɪn] *n* **1.** (*on ship*) Kabine *f* **2.** (*wooden house*) Hütte *f*

cabinet ['kæbɪnət] *n* **1.** (*storage place*) Schrank *m* **2.** + *sing/pl vb* POL Kabinett *nt*

cable ['keɪbl̩] **I.** *n* **1.** ELEC [Leitungs]kabel *nt,* Leitung *f* **2.** *no pl* TV Kabelfernsehen *nt* **II.** *vt* TV **to be ~d** verkabelt sein

cable car *n* Seilbahn *f*

cable television, cable TV *n no pl* Kabelfernsehen *nt*

cab rank *n* Taxistand *m*

cactus <*pl* -es> ['kæktəs, *pl* -taɪ] *n* Kaktus *m*

café, cafe ['kæfeɪ] *n* Café *nt*

cafeteria [ˌkæfə'tɪəriə] *n* Cafeteria *f*

caffein(e) ['kæfiːn] *n no pl* Koffein *nt*

cage [keɪdʒ] *n* Käfig *m*

cake [keɪk] **I.** *n* Kuchen *m;* (*layered*) Torte *f;* **fish ~** Fischfrikadelle *f;* **potato ~** Kartoffelpuffer *m;* ► **a piece of ~** (*fam*) ein Klacks *m* **II.** *vt* **~d with mud** dreckverkrustet

calcium ['kælsiəm] *n no pl* Kalzium *nt*

calculate [ˈkælkjəleɪt] **I.** *vt* berechnen **II.** *vi* **to ~ [on sth]** [mit etw] rechnen
calculation [ˌkælkjəˈleɪʃᵊn] *n* MATH Berechnung *f;* (*estimate*) Schätzung *f*
calculator [ˈkælkjəleɪtəʳ] *n* Rechner *m*
calendar [ˈkæləndəʳ] *n* Kalender *m*
calf <*pl* **calves**> [kɑːf , *pl* kɑːvz] *n* **1.** (*animal*) Kalb *nt* **2.** ANAT Wade *f*
call [kɔːl] **I.** *n* **1.** (*on the telephone*) [Telefon]anruf *m,* [Telefon]gespräch *nt;* **to give sb a ~** jdn anrufen **2.** (*visit*) Besuch *m* **3.** (*shout*) Ruf *m;* **a ~ for help** ein Hilferuf *m* **4.** *no pl* (*form: need*) Grund *m* **II.** *vt* **1.** (*on the telephone*) anrufen; (*by radio*) rufen **2.** (*name*) nennen; **what's that actor ~ed again?** wie heißt dieser Schauspieler nochmal? **3.** (*shout*) rufen **4.** (*summon*) rufen; **to ~ a doctor** einen Arzt kommen lassen **5.** (*give orders for*) *meeting* einberufen; *strike* ausrufen **III.** *vi* **1.** (*telephone*) anrufen; **who's ~ing, please?** wer ist am Apparat? **2.** (*drop by*) vorbeischauen **3.** (*shout*) rufen ◆ **call at** *vi* **1.** (*visit*) **to ~ at sth** bei etw *dat* vorbeigehen **2.** *town, station* halten (**at** in) ◆ **call for** *vi* **1.** (*collect*) abholen **2.** (*shout*) **to ~ for sb** nach jdm rufen; **to ~ for help** um Hilfe rufen ◆ **call in I.** *vt* (*ask to come*) [herein] rufen **II.** *vi* **1.** RADIO anrufen **2.** (*drop by*) **to ~ in on sb** bei jdm vorbeischauen ◆ **call off** *vt* (*cancel*) absagen; (*stop*) abbrechen ◆ **call on** *vi* **1.** (*appeal to*) **to ~ on sb to do sth** jdn dazu auffordern, etw zu tun **2.** (*visit*) **to ~ on sb** bei jdm vorbeischauen ◆ **call out I.** *vt* **1.** (*shout*) rufen; **to ~ out ⇆ sth to sb** jdm etw zurufen **2.** (*summon*) **to ~ out the fire brigade** die Feuerwehr alarmieren **II.** *vi* rufen ◆ **call up** *vt* **1.** *esp* AM (*telephone*) anrufen **2.** COMPUT aufrufen
call box *n* BRIT Telefonzelle *f* **call diversion** *n no pl* Rufumleitung *f*
caller [ˈkɔːləʳ] *n* **1.** (*on telephone*) Anrufer(in) *m(f)* **2.** (*visitor*) Besucher(in) *m(f)*
calm [kɑːm] **I.** *adj* ruhig **II.** *n* **1.** (*calmness*) Ruhe *f* **2.** METEO Windstille *f;* **the ~ before the storm** die Ruhe vor dem Sturm **III.** *vt* beruhigen
calorie [ˈkælᵊri] *n* Kalorie *f;* **high in ~s** kalorienreich; **~-reduced** kalorienreduziert
camcorder [ˈkæmˌkɔːdəʳ] *n* Camcorder *m*
came [keɪm] *vi pt of* **come**
camel [ˈkæmᵊl] *n* Kamel *nt;* **~ hair** Kamelhaar *nt*
camera [ˈkæmᵊrə] *n* Kamera *f;* **to be on ~** vor der Kamera stehen
camp[1] [kæmp] **I.** *n* **1.** (*encampment*) [Zelt]lager *nt;* **summer ~** Sommerlager *nt* **2.** MIL [Feld]lager *nt;* **refugee ~** Flüchtlingslager *nt* **II.** *vi* **to ~ [out]** zelten
camp[2] [kæmp] **I.** *n no pl* Manieriertheit *f* **II.** *adj* **1.** (*pej: theatrical*) manieriert **2.** (*effeminate*) tuntenhaft **III.** *vt* **to ~ sth ⇆ up** bei etw *dat* zu dick auftragen
camper [ˈkæmpəʳ] *n* **1.** (*person*) Camper(in) *m(f)* **2.** (*vehicle*) Wohnmobil *nt*
campfire *n* Lagerfeuer *nt*
camping [ˈkæmpɪŋ] *n no pl* Camping *nt;* **to go ~** zelten gehen
campsite *n* Campingplatz *m*
campus [ˈkæmpəs] *n* Campus *m;* **on ~** auf dem Campus
can[1] [kæn] **I.** *n* **1.** Dose *f,* Büchse *f* **2.** AM (*fam: toilet*) Klo *nt;* ► **to have**

C

to carry the ~ BRIT die Sache ausbaden müssen **II.** *vt food* eindosen

can² <could, could> [kæn, kən] *aux vb* (*be able to*) können; (*be allowed to*) dürfen; **~ you hear me?** hörst du mich?; **you can't park here** hier dürfen Sie nicht parken; **I couldn't see anything** ich konnte nichts sehen; **who ~ blame her?** wer will es ihr verdenken?

can't [kɑːnt] (*fam*) = **cannot**

canal [kə'næl] *n* Kanal *m*

cancel <BRIT -ll-> ['kæn(t)səl] *vt* **1.** (*call off*) absagen **2.** (*remove from schedule*) streichen **3.** (*undo*) stornieren

cancellation [ˌkæn(t)səl'eɪʃən] *n* **1.** (*calling off*) Absage *f* **2.** (*from schedule*) Streichung *f* **3.** (*undoing*) Stornierung *f*

cancer ['kæn(t)səʳ] *n no pl* Krebs *m;* **~ of the stomach** Magenkrebs *m;* **~ check-up** Krebsvorsorgeuntersuchung *f*

cancerous ['kæn(t)sərəs] *adj* krebsartig

cancer screening *n no pl* Krebsvorsorgeuntersuchung *f*

candid ['kændɪd] *adj* offen; **~ camera** versteckte Kamera

candidate ['kændɪdət] *n* POL, SCH Kandidat(in) *m(f)*

candle ['kændl̩] *n* Kerze *f*

candlelight *n no pl* Kerzenlicht *nt;* **~ [*or* candlelit] dinner** Abendessen bei Kerzenschein *nt* **candlestick** *n* Kerzenständer *m*

candy ['kændi] *n* **1.** *no pl* (*sugar*) Kandiszucker *m* **2.** AM (*sweets*) Süßigkeiten *pl*

cane [keɪn] **I.** *n* **1.** *no pl* (*of plant*) Rohr *nt;* **~ basket** Weidenkorb *m* **2.** (*stick*) Stock *m* **II.** *vt* [mit einem Stock] züchtigen

cane chair *n* Rohrstuhl *m*

canned [kænd] *adj* **1.** (*in cans*) **~ tomatoes** Dosentomaten *pl* **2.** MEDIA **~ music** Musik *f* aus der Konserve

cannon ['kænən] **I.** *n* MIL Kanone *f* **II.** *vi* **to ~ into sb** mit jdm zusammenprallen

cannot ['kænɒt] *aux vb see* **can not: we ~ but succeed** wir können nur gewinnen

canoe [kə'nuː] *n* Kanu *nt*

can opener *n* Dosenöffner *m*

canteen [kæn'tiːn] *n* Kantine *f*

canyon ['kænjən] *n* Schlucht *f*

cap [kæp] **I.** *n* **1.** (*hat*) Mütze *f* **2.** (*top*) Verschlusskappe *f* **3.** (*limit*) Obergrenze *f* **4.** BRIT (*contraceptive*) Pessar *nt;* ▸ **to put on one's thinking ~** scharf nachdenken **II.** *vt* <-pp-> **1.** (*limit*) begrenzen **2.** (*cover*) bedecken; *teeth* überkronen

capable ['keɪpəbl̩] *adj* fähig; **to be ~ of doing sth** in der Lage sein, etw zu tun

capacity [kə'pæsəti] *n* **1.** (*available space*) Fassungsvermögen *nt* **2.** *no pl* (*ability*) Fähigkeit *f;* **mental ~** geistige Fähigkeiten *pl* **3.** *no pl* (*maximum*) Kapazität *f;* **full to ~** absolut voll

cape¹ [keɪp] *n* Kap *nt;* **the C~ of Good Hope** das Kap der guten Hoffnung; **~ Horn** Kap Hoorn

cape² [keɪp] *n* Umhang *m*

capital ['kæpɪtəl] *n* **1.** (*city*) Hauptstadt *f* **2.** (*letter*) Großbuchstabe *m*

capital crime *n* Kapitalverbrechen *nt*

capitalist ['kæpɪtəlɪst] **I.** *n* Kapitalist(in) *m(f)* **II.** *adj* kapitalistisch

capital letter *n* Großbuchstabe *m* **capital punishment** *n no pl* Todesstrafe *f*

Capricorn ['kæprɪkɔːn] *n no art, no pl* ASTROL Steinbock *m*

capsize [kæp'saɪz] *vi* NAUT kentern
captain ['kæptɪn] **I.** *n* Kapitän(in) *m(f)* **II.** *vt* anführen; MIL befehligen
captive ['kæptɪv] **I.** *n* Gefangene(r) *f(m)* **II.** *adj* gefangen
captivity [kæp'tɪvəti] *n no pl* Gefangenschaft *f*
capture ['kæptʃəʳ] **I.** *vt* **1.** (*take prisoner*) gefangen nehmen; *police* festnehmen **2.** (*take possession*) einnehmen **II.** *n of a person* Gefangennahme *f;* (*by police*) Festnahme *f; of a city* Einnahme *f*
car [kɑːʳ] *n* **1.** (*vehicle*) Auto *nt,* Wagen *m;* **by ~** mit dem Auto; **~ rental service** Autovermietung *f* **2.** RAIL Waggon *m* **3.** (*in airship, balloon*) Gondel *f*
caravan ['kærəvæn] *n* BRIT Wohnwagen[anhänger] *m*
carbonated ['kɑːbᵊneɪtɪd] *adj* kohlensäurehaltig
carbon dioxide *n no pl* Kohlendioxid *nt* **carbon monoxide** *n no pl* Kohlenmonoxid *nt*
car-boot sale *n* BRIT *privater Flohmarkt, bei dem der Kofferraum als Verkaufsfläche dient*
carcinogenic [ˌkɑːsɪnə(ʊ)'dʒenɪk] *adj* Krebs erregend
card [kɑːd] *n* **1.** *no pl* (*material*) Pappe *f,* Karton *m* **2.** (*piece of paper*) Karte *f;* (*postcard*) [Post]karte *f,* Ansichtskarte *f;* **birthday ~** Geburtstagskarte *f* **3.** (*game*) [Spiel]karte *f;* **[game of] ~s** Kartenspiel *nt* **4.** (*for paying*) Karte *f;* **phone ~** Telefonkarte *f* **5.** (*official document*) **identity ~** Personalausweis *m;* ▶ **to play one's ~s right** geschickt vorgehen
cardboard *n no pl* Pappe *f;* **~ box** [Papp]karton *m*
cardiac ['kɑːdiæk] *adj* **~ arrest** Herzstillstand *m*
cardigan ['kɑːdɪgən] *n* Strickjacke *f*
cardphone *n* Kartentelefon *nt*
care [keəʳ] **I.** *n* **1.** *no pl* (*looking after*) Betreuung *f;* (*in hospital*) Versorgung *f;* **in ~** in Pflege; **to take good ~ of sth** etw schonen; **~ of ...** zu Händen von ... **2.** *no pl* (*caution*) **take ~ you don't fall!** pass auf, dass du nicht hinfällst!; **to drive with ~** umsichtig fahren **3.** (*worry*) Sorge *f* **II.** *vi* **1.** (*be concerned*) betroffen sein; **I couldn't ~ less** das ist mir völlig egal; **who ~s?** wen interessiert das schon? **2.** (*look after*) **to ~ for sb** sich um jdn kümmern **III.** *vt* **sb does not ~ whether ...** jdm ist es egal, ob ...
career [kə'rɪəʳ] *n* **1.** (*profession*) Beruf *m;* **~s office** BRIT Berufsberatung *f* **2.** (*working life*) Karriere *f,* Laufbahn *f*
carefree *adj* sorgenfrei
careful ['keəfᵊl] *adj* **1.** (*cautious*) vorsichtig; **to be ~ with sth** mit etw *dat* vorsichtig umgehen; **to be ~ [that] ...** darauf achten, dass ... **2.** (*meticulous*) sorgfältig; *analysis* umfassend
careless ['keələs] *adj* **1.** (*lacking attention*) unvorsichtig **2.** (*unthinking*) unbedacht **3.** (*not painstaking*) nachlässig
caretaker *n* BRIT Hausmeister(in) *m(f)*
car ferry *n* Autofähre *f*
cargo ['kɑːgəʊ] *n no pl* Fracht *f;* **~ plane** Transportflugzeug *nt*
car hire *n no pl esp* BRIT Autovermietung *f;* **~ company** Autoverleih *m*
carnival ['kɑːnɪvᵊl] *n* **1.** (*festival*) Volksfest *nt* **2.** (*pre-Lent*) Karneval *m*

C

carol ['kær^əl] *n* [**Christmas**] ~ Weihnachtslied *nt*
carol singer *n* Sternsinger(in) *m(f)*
car park *n* BRIT, AUS Parkplatz *m*
carpenter ['kɑ:p^əntə^r] *n* Schreiner(in) *m(f)*
carpet ['kɑ:pɪt] *n* Teppich *m a. fig;* (*fitted*) Teppichboden *m*
carriage ['kærɪdʒ] *n* **1.** (*horse-drawn*) Kutsche *f* **2.** BRIT RAIL Personenwagen *m*
carriageway *n* BRIT Fahrbahn *f*
carrier bag *n* BRIT [Plastik]tüte *f*
carrot ['kærət] *n* Karotte *f*
carry <-ie-> ['kæri] **I.** *vt* **1.** (*bear*) tragen *a. fig;* **to ~ sth around** etw mit sich *dat* herumtragen; **to be carried downstream** flussabwärts treiben **2.** (*transport*) transportieren **3.** (*have, incur*) **all cigarette packets ~ a warning** auf allen Zigarettenpäckchen steht eine Warnung **4.** (*transmit*) MED übertragen; ELEC leiten **II.** *vi* (*reach*) *sound* zu hören sein ◆ **carry on I.** *vt* **1.** (*continue*) fortführen; **~ on the good work!** weiter so! **2.** (*conduct*) führen **II.** *vi* (*continue*) weitermachen ◆ **carry out** *vt* **1.** hinaus-/heraustragen **2.** (*perform*) durchführen ◆ **carry through** *vt* **1.** (*sustain*) durchbringen **2.** (*complete*) durchführen
cart [kɑ:t] **I.** *n* **1.** (*pulled vehicle*) Wagen *m* **2.** AM (*supermarket trolley*) Einkaufswagen *m* **II.** *vt* (*fam*) schleppen
carton ['kɑ:t^ən] *n* Karton *m*
cartoon [kɑ:'tu:n] *n* **1.** (*drawing*) Cartoon *m o nt* **2.** FILM Zeichentrickfilm *m*
cartridge ['kɑ:trɪdʒ] *n* (*for ink, ammunition*) Patrone *f*
carve [kɑ:v] **I.** *vt* **1.** (*cut a figure*) schnitzen **2.** FOOD tranchieren **II.** *vi* tranchieren
carving ['kɑ:vɪŋ] *n no pl* ART (*art of cutting*) Bildhauerei *f; of wood* Schnitzen *nt*
case[1] [keɪs] *n* **1.** (*situation, instance*) Fall *m;* **in ~ of an emergency** im Notfall; **in most ~s** meistens; **in ~ ...** falls ... **2.** LAW [Rechts]fall *m;* **murder ~** Mordfall *m* **3.** LING Fall *m;* **to be in the accusative ~** im Akkusativ stehen
case[2] [keɪs] *n* **1.** (*suitcase*) Koffer *m* **2.** (*packaging plus contents*) Kiste *f* **3.** (*small container*) Schatulle *f* **4.** TYPO **written in upper ~** groß geschrieben
case[3] [keɪs] *vt* (*fam*) **to ~ the joint** sich *dat* den Laden mal ansehen
cash [kæʃ] *n no pl* Bargeld *nt* ◆ **cash in** *vi* **to ~ in on sth** von etw *dat* profitieren
cash card *n esp* BRIT Geldautomatenkarte *f* **cash dispenser** *n* BRIT Geldautomat *m*
cashier [kæʃ'ɪə^r] *n* Kassierer(in) *m(f)*
cashpoint *n* BRIT Geldautomat *m,* Bankomat *m* SCHWEIZ, ÖSTERR
casserole ['kæs^ərəʊl] *n* **1.** (*pot*) Schmortopf *m* **2.** (*stew*) ≈ Eintopf *m*
cassette [kə'set] *n* Kassette *f*
cassette recorder *n* Kassettenrecorder *m*
cast [kɑ:st] **I.** *n* **1.** + *sing/pl vb* THEAT, FILM Besetzung *f* **2.** (*moulded object*) [Ab]guss *m* **3.** (*plaster*) Gips[verband] *m* **II.** *vt* <cast, cast> **1.** (*throw*) werfen *a. fig; fishing line* auswerfen **2.** (*allocate roles*) **to ~ sb in a role** jdm eine Rolle geben ◆ **cast off** NAUT **I.** *vt* losmachen **II.** *vi* ablegen

castle ['kɑːsl̩] *n* **1.** (*fortress*) Burg *f;* (*mansion*) Schloss *nt* **2.** CHESS Turm *m*

castor sugar *n* Streuzucker *m*

casual ['kæʒjuəl] *adj* **1.** (*not planned*) zufällig **2.** (*offhand*) beiläufig **3.** (*informal*) lässig; *clothes* leger **4.** (*irregular*) gelegentlich; ~ **sex** Gelegenheitssex *m*

casualty ['kæʒjuəlti] *n* **1.** (*accident victim*) [Unfall]opfer *nt;* (*dead person*) Todesfall *m* **2.** *no pl* BRIT (*hospital department*) Unfallstation *f*

cat [kæt] *n* Katze *f;* ▸ **to rain ~s and dogs** wie aus Eimern schütten

catalogue ['kætəlɒg] **I.** *n* Katalog *m* **II.** *vt* katalogisieren

catalyst ['kætəlɪst] *n* Katalysator *m*

catalytic [ˌkætə'lɪtɪk] *adj* katalytisch; ~ **converter** Katalysator *m*

catastrophe [kə'tæstrəfi] *n* Katastrophe *f*

catastrophic [ˌkætə'strɒfɪk] *adj* katastrophal

catch [kætʃ] **I.** *n* <*pl* -es> **1.** (*ball*) Fang *m;* **good ~!** gut gefangen! **2.** (*fish*) Fang *m kein pl* **3.** *no pl* (*trick*) Haken *m;* **what's the ~?** wo ist der Haken? **II.** *vt* <caught, caught> **1.** (*intercept*) fangen; *person* auffangen **2.** (*grab*) ergreifen **3.** (*capture*) *person* ergreifen; (*arrest*) festnehmen; *animal* fangen **4.** (*surprise*) erwischen; **have I caught you at a bad time?** komme ich ungelegen?; **to ~ oneself doing sth** sich bei etw *dat* ertappen **5.** MED **to ~ sth from sb** sich bei jdm mit etw *dat* anstecken; **to ~ a cold** sich erkälten **6. to ~ sth in sth** etw in etw *akk* einklemmen; **to get caught on sth** an etw *dat* hängen bleiben **7.** *bus, train* nehmen **8.** *attention* erregen **9.** (*burn*) **to ~ fire** Feuer fangen **III.** *vi* <caught, caught> (*entangle*) sich in etw *dat* verfangen; **to ~ on sth** an etw *dat* hängen bleiben **3.** (*ignite*) Feuer fangen; *engine* zünden ◆ **catch on** *vi* (*fam*) **1.** (*become popular*) sich durchsetzen **2.** (*understand*) kapieren ◆ **catch out** *vt* BRIT **1.** (*detect*) ertappen **2.** (*trick*) hereinlegen ◆ **catch up I.** *vi* **to ~ up with** einholen *a. fig* **II.** *vt* **1.** (*reach*) **to ~ sb up** jdn einholen **2.** *usu passive* **to get caught up [in sth]** sich [in etw *dat*] verfangen

catcher ['kætʃəʳ] *n* Fänger(in) *m(f)*

catching ['kætʃɪŋ] *adj* ansteckend

catchup ['kætʃʌp, 'ketʃ-] *n* AM FOOD *see* **ketchup**

catering ['keɪtərɪŋ] *n no pl* **1.** (*trade*) Catering *nt* **2.** (*service*) Cateringservice *m*

caterpillar ['kætəpɪləʳ] *n* Raupe *f*

cathedral [kə'θiːdrəl] *n* Kathedrale *f,* Dom *m*

Catholic ['kæθəlɪk] **I.** *n* Katholik(in) *m(f)* **II.** *adj* katholisch

cattle ['kætl̩] *n pl* Rinder *pl;* **200 head of ~** 200 Stück Vieh

caught [kɔːt] *pt, pp of* **catch**

cauliflower ['kɒliflaʊəʳ] *n* Blumenkohl *m*

cause [kɔːz] **I.** *n* **1.** (*of effect*) Ursache *f;* **~ of death** Todesursache *f* **2.** *no pl* (*reason*) Grund *m;* ~ **for concern** Anlass *m* zur Sorge **3.** (*object of support*) Sache *f;* **a good ~** ein guter Zweck **II.** *vt* verursachen; **to ~ trouble** Unruhe stiften

caution ['kɔːʃən] **I.** *n* **1.** *no pl* (*carefulness*) Vorsicht *f;* **with [great] ~** [sehr] umsichtig **2.** BRIT (*legal warning*) Ver-

C

warnung *f* **II.** *vt* (*form*) **1.** (*warn*) **to ~ sb [against sth]** jdn [vor etw *akk*] warnen **2.** *esp* BRIT, AUS (*warn officially*) verwarnen

cautious ['kɔːʃəs] *adj* vorsichtig

cave [keɪv] **I.** *n* Höhle *f* **II.** *vi* BRIT, AUS Höhlen erforschen

cavern ['kævᵊn] *n* Höhle *f*

CCTV [ˌsiːsiːtiː'viː] *n abbrev of* **closed-circuit television** Überwachungskamera *f*

CD [ˌsiː'diː] *n abbrev of* **compact disc** CD *f*

CD player *n* CD-Spieler *m* **CD-ROM** [ˌsiːdiː'rɒm] *n abbrev of* **compact disc read-only memory** CD-ROM *f;* **~ drive** CD-ROM-Laufwerk *nt*

cease [siːs] (*form*) **I.** *vi* aufhören **II.** *vt* beenden; *fire* einstellen

ceasefire *n* Waffenruhe *f*

ceiling ['siːlɪŋ] *n* [Zimmer]decke *f*

celeb [sə'leb] *n short for* **celebrity** Berühmtheit *f*

celebrate ['seləbreɪt] *vi, vt* feiern

celebration [ˌselə'breɪʃᵊn] *n* Feier *f;* **cause for ~** Grund *m* zum Feiern; **in ~** zur Feier

celebrity [sə'lebrəti] *n* berühmte Persönlichkeit

celery ['selᵊri] *n no pl* [Stangen]sellerie *m o f*

cell [sel] *n* Zelle *f*

cellar ['seləʳ] *n* Keller *m*

cellist ['tʃelɪst] *n* Cellist(in) *m(f)*

cello <*pl* -s> ['tʃeləʊ] *n* Cello *nt*

cellophane® ['seləfeɪn] *n no pl* Cellophan® *nt*

cell phone *n* Mobiltelefon *nt*

cellular ['seljələʳ] **I.** *adj* zellular **II.** *n* AM Handy *nt*

cement [sɪ'ment] **I.** *n no pl* Zement *m* **II.** *vt* (*with concrete*) betonieren; (*with cement*) zementieren; **to ~ up** zumauern

cemetery ['semətᵊri] *n* Friedhof *m*

cent [sent] *n* Cent *m;* **to not be worth a ~** keinen Pfifferling wert sein

centenary [sen'tiːnᵊri], AM **centennial** [sen'teniəl] *n* Hundertjahrfeier *f;* **~ celebrations** Feierlichkeiten *pl* zum hundertsten Jahrestag

center *n, vt* AM *see* **centre**

centigrade ['sentɪgreɪd] *n no pl* Celsius

centimetre, AM **centimeter** ['sentɪmiːtəʳ] *n* Zentimeter *m*

central ['sentrᵊl] *adj* **1.** (*in the middle*) zentral **2.** (*paramount*) wesentlich

central locking *n no pl* Zentralverriegelung *f*

centre ['sentəʳ] **I.** *n* **1.** Zentrum *nt; of chocolates* Füllung *f;* **to be the ~ of attention** im Mittelpunkt der Aufmerksamkeit stehen **2.** POL Mitte *f;* **left of ~** Mitte links **II.** *vi* **to ~ upon sth** sich um etw *akk* drehen

century ['sen(t)ʃᵊri] *n* (*period*) Jahrhundert *nt;* **turn of the ~** Jahrhundertwende *f*

CEO [ˌsiːiː'əʊ] *n abbrev of* **chief executive officer** Generaldirektor(in) *m(f)*

ceramics [sə'ræmɪks] *n* **1.** + *sing vb* (*art*) Keramik *f* **2.** *pl* (*ceramic objects*) Keramiken *pl,* Töpferwaren *pl* **3.** + *sing vb* (*process*) Töpfern *nt*

cereal ['sɪəriəl] *n* **1.** Getreide *nt* **2.** (*for breakfast*) Frühstückszerealien *pl* (*Cornflakes ...*)

ceremony ['serɪməni] *n* Zeremonie *f,* Feier *f*

certain ['sɜːtᵊn] *adj* **1.** (*sure*) sicher; (*unavoidable*) bestimmt; **to feel ~** sicher sein; **to make ~ [that ...]** darauf achten[, dass ...]; **for** ~ ganz sicher **2.** (*limited*) gewiss; **to a** ~ **extent** in gewissem Maße **3.** (*particular*) **at a** ~ **age** in einem bestimmten Alter

certainly ['sɜːtᵊnli] *adv* **1.** (*surely*) sicher[lich]; (*without a doubt*) gewiss **2.** (*of course*) [aber] selbstverständlich; ~ **not** auf [gar] keinen Fall

certificate [sə'tɪfɪkət] *n* (*official document*) Urkunde *f;* (*attestation*) Bescheinigung *f;* **medical** ~ ärztliches Attest; **marriage** ~ Trauschein *m*

certify <-ie-> ['sɜːtɪfaɪ] *vt* bescheinigen; **to** ~ **sb** [**as**] **dead** jdn für tot erklären

chain [tʃeɪn] **I.** *n* **1.** Kette *f* **2.** (*fig: series*) Reihe *f; of mishaps* Verkettung *f;* **fast food** ~ [Schnell]imbisskette *f* **II.** *vt* **to** ~ [**up**] [an]ketten

chain-smoker *n* Kettenraucher(in) *m(f)*

chair [tʃeəʳ] *n* **1.** (*seat*) Stuhl *m;* **easy** ~ Sessel *m* **2.** (*head*) Vorsitzende(r) *f(m)* **3.** AM **the** ~ der elektrische Stuhl

chair lift *n* Sessellift *m*

chairman *n* Vorsitzende(r) *m* **chairperson** *n* Vorsitzende(r) *f(m)* **chairwoman** *n* Vorsitzende *f*

chalk [tʃɔːk] **I.** *n* *no pl* **1.** (*type of stone*) Kalkstein *m* **2.** (*for writing*) Kreide *f;* ▶ **as alike as** ~ **and cheese** grundverschieden **II.** *vt* mit Kreide schreiben/zeichnen

challenge ['tʃælɪndʒ] **I.** *n* Herausforderung *f;* **to find sth a** ~ etw schwierig finden **II.** *vt* **1.** (*ask to compete*) herausfordern **2.** (*call into question*) in Frage stellen

challenging ['tʃælɪndʒɪŋ] *adj* [heraus]fordernd

champ [tʃæmp] **I.** *n* *short for* **champion** Champion *m* **II.** *vi, vt* [geräuschvoll] kauen ▶ **to** ~ **at the bit** vor Ungeduld fiebern

champagne [ʃæm'peɪn] *n* Champagner *m;* ~ **brunch** Sektfrühstück *nt*

C

champion ['tʃæmpiːən] **I.** *n* SPORTS Champion *m;* **world** ~ Weltmeister(in) *m(f);* ~ **boxer** Boxchampion *m* **II.** *vt* verfechten; **to** ~ **a cause** für eine Sache eintreten

championship ['tʃæmpiːənʃɪp] *n* SPORTS Meisterschaft *f*

chance [tʃɑːn(t)s] **I.** *n* **1.** *no pl* (*luck*) Zufall *m;* **by** ~ zufällig **2.** (*prospect*) Chance *f;* ~**s of survival** Überlebenschancen *pl;* **no** ~**!** BRIT (*fam*) niemals! **3.** (*risk*) Risiko *nt;* **to take no** ~**s** kein Risiko eingehen **II.** *vt* (*fam*) riskieren ▶ **to** ~ **one's arm** es riskieren

change [tʃeɪndʒ] **I.** *n* **1.** (*alteration*) [Ver]änderung *f;* ~ **of pace** Tempowechsel *m* **2.** *no pl* (*substitution*) Wechsel *m;* **a** ~ **of clothes** Kleidung *f* zum Wechseln **3.** *no pl* (*variety*) Abwechslung *f* **4.** *no pl* (*coins*) Kleingeld *nt;* (*money returned*) Wechselgeld *nt;* **could you give me** ~ **for 50 dollars?** (*return all*) könnten Sie mir 50 Dollar wechseln?; **to have the correct** ~ es passend haben **5.** TRANSP **to have to make several** ~**s** mehrmals umsteigen müssen **II.** *vi* **1.** (*alter*) sich [ver]ändern; *traffic light* umspringen **2.** (*substitute, move*) **to** ~ [**over**] **to sth** zu etw *dat* wechseln **3.** TRANSP umsteigen; **all** ~**!** alle aussteigen! **4.** (*dress*) sich umziehen **III.** *vt* **1.** (*make different*) [ver]ändern; (*transform*) verwandeln; **to** ~ **one's mind** seine Meinung ändern **2.** (*exchange, move*) wechseln; (*in a shop*) umtauschen (**for** gegen); **to** ~

places with sb mit jdm den Platz tauschen **3.** *baby* [frisch] wickeln; **to ~ one's clothes** sich umziehen **4.** (*money*) wechseln; **could you ~ a £20 note?** (*return all*) könnten Sie mir 20 Pfund wechseln? **5.** TRANSP **to ~ planes** das Flugzeug wechseln; **to ~ buses/trains** umsteigen

change machine *n* [Geld]wechselautomat *m*

changeover *n usu sing* Umstellung *f* (**to** auf)

changing ['tʃeɪndʒɪŋ] *adj* wechselnd

channel ['tʃænᵊl] **I.** *n* **1.** RADIO, TV Programm *nt;* **on ~ five** im fünften Programm; **cable ~** Kabelkanal *m* **2.** (*waterway*) [Fluss]bett *nt;* (*artificial*) Kanal *m;* **the** [**English**] **C~** der Ärmelkanal **3.** (*means*) Weg *m;* **through the usual ~s** auf dem üblichen Weg **II.** *vt* <BRIT -ll-> (*direct*) leiten; **to ~ one's energies into sth** seine Energien in etw *akk* stecken

Channel Tunnel *n no pl* **the ~** der [Ärmel]kanaltunnel

chaos ['keɪɒs] *n no pl* Chaos *nt*

chaotic [keɪ'ɒtɪk] *adj* chaotisch

chap[1] [tʃæp] *n* BRIT (*fam*) Typ *m*

chap[2] <-pp-> [tʃæp] *vi skin* aufspringen

chap[3] *n abbrev of* **chapter** Kap.

chapel ['tʃæpᵊl] *n* **1.** Kapelle *f* **2.** (*service*) Andacht *f*

chapter ['tʃæptəʳ] *n* Kapitel *nt*

character ['kærəktəʳ] *n* **1.** *no pl* Charakter *m;* **to be similar in ~** sich *dat* im Wesen ähnlich sein **2.** LIT [Roman]figur *f*

characteristic [ˌkærəktə'rɪstɪk] **I.** *n* charakteristisches Merkmal **II.** *adj* charakteristisch; **to be ~ of sth** typisch für etw *akk* sein

charge [tʃɑːdʒ] **I.** *n* **1.** (*cost*) Gebühr *f;* **for an extra ~** gegen Aufpreis; **free of ~** kostenlos **2.** LAW Anklage *f* (**of** wegen) **3.** *no pl* (*responsibility*) Verantwortung *f;* **she's in ~ of the department** sie leitet die Abteilung **4.** *no pl* ELEC Ladung *f;* **to put on ~** BRIT aufladen **II.** *vi* **1.** eine Gebühr verlangen **2.** ELEC laden **3.** (*attack*) [vorwärts]stürmen; **~!** vorwärts! **III.** *vt* **1.** berechnen; **we were not ~d** [**for it**] wir mussten nichts [dafür] bezahlen **2.** LAW **to ~ sb** [**with sth**] jdn [wegen einer S. *gen*] anklagen **3.** ELEC aufladen **4.** (*tense, emotional*) **a highly ~d atmosphere** eine hochgradig geladene Atmosphäre

charge card *n* [Kunden]kreditkarte *f*

charity ['tʃærɪti] *n* **1.** *no pl* (*generosity*) Barmherzigkeit *f* **2.** *no pl* **to donate sth to ~** etw für wohltätige Zwecke spenden **3.** (*organization*) Wohltätigkeitsorganisation *f*

charity shop *n* BRIT *Laden, in dem gespendete, meist gebrauchte Waren verkauft werden, um Geld für wohltätige Zwecke zu sammeln*

charm [tʃɑːm] **I.** *n no pl* Charme *m* **II.** *vt* bezaubern

charming ['tʃɑːmɪŋ] *adj* bezaubernd

chart [tʃɑːt] **I.** *n* **1.** (*visual*) Diagramm *nt;* NAUT Karte *f* **2.** *pl* **the ~s** *pl* die Charts **II.** *vt* (*plot*) aufzeichnen

charter flight *n* Charterflug *m*

chase [tʃeɪs] **I.** *n* **1.** (*pursuit*) Verfolgungsjagd *f;* **to give ~ to sb** jdm hinterherrennen **2.** HUNT Jagd *f* **II.** *vi* **to ~ around** herumhetzen **III.** *vt* **1.** (*pursue*) verfolgen **2.** (*scare away*) **to ~ away** vertreiben

chat [tʃæt] **I.** *n* **1.** (*informal conversation*) Unterhaltung *f;* **to have a ~**

plaudern **2.** *no pl* (*gossip*) Gerede *nt* **II.** *vi* <-tt-> **1.** (*talk informally*) plaudern **2.** COMPUT chatten

chatter ['tʃætəʳ] **I.** *n* Geschwätz *nt* **II.** *vi* **1.** (*converse*) plaudern; **to ~ away** endlos schwätzen; **to ~ on** unentwegt reden **2.** *teeth* klappern

cheap [tʃi:p] *adj* billig *a. fig;* (*reduced*) ermäßigt ► **~ and cheerful** BRIT, AUS gut und preiswert; **~ and nasty** BRIT, AUS billig und schäbig

cheat [tʃi:t] **I.** *n* **1.** (*person*) Betrüger(in) *m(f)* **2.** (*fraud*) Täuschung *f* **II.** *vi* betrügen **III.** *vt* (*treat dishonestly*) täuschen

check¹ [tʃek] **I.** *n* **1.** (*inspection*) Kontrolle *f* **2.** (*look*) **to take a quick ~** schnell nachsehen **3.** *no pl* (*restraint*) Kontrolle *f* **4.** (*pattern*) Karo[muster] *nt* **5.** CHESS Schach *nt* **II.** *vt* **1.** (*inspect*) überprüfen **2.** CHESS Schach bieten **III.** *vi* **1.** (*examine*) nachsehen, nachschauen *bes* SÜDD, ÖSTERR, SCHWEIZ **2.** (*consult*) **to ~ with sb** bei jdm nachfragen

check² [tʃek] *n* **1.** AM *see* **cheque** **2.** AM, SCOT (*bill*) Rechnung *f*
◆ **check in I.** *vi* (*at airport*) einchecken; (*at hotel*) sich anmelden **II.** *vt* (*at airport*) abfertigen; (*at hotel*) anmelden ◆ **check off** *vt* abhaken ◆ **check out I.** *vi* sich abmelden **II.** *vt* **1.** (*investigate*) untersuchen **2.** (*sl: observe*) **~ it out!** schau dir bloß mal das an! ◆ **check up** *vt* **to ~ up on 1.** (*monitor*) überprüfen **2.** (*research*) Nachforschungen anstellen über +*akk*

checkbook *n* AM Scheckheft *nt*

check-in counter, check-in desk *n* Abfertigungsschalter *m*

checking account *n* AM Girokonto *nt*

check-in time *n* Eincheckzeit *f*

checklist *n* Checkliste *f* **checkmate** CHESS **I.** *n no pl* Schachmatt *nt* **II.** *vt* schachmatt setzen **checkout** *n* Kasse *f* **check room** *n* AM **1.** (*for coats*) Garderobe *f* **2.** (*for luggage*) Gepäckaufbewahrung *f*

check-up *n* MED Untersuchung *f*

cheek [tʃi:k] *n* **1.** (*of face*) Backe *f* **2.** *no pl* (*impertinence*) Frechheit *f;* **to give sb ~** frech zu jdm sein

cheeky ['tʃi:ki] *adj* frech

cheer [tʃɪəʳ] **I.** *n* **1.** (*cheering*) Jubel *m* **2.** *no pl* (*joy*) Freude *f* **II.** *vi* **to ~ for sb** jdn anfeuern

cheerful ['tʃɪəfᵊl] *adj* (*happy, bright*) fröhlich; **in a ~ mood** gut gelaunt

cheerio ['tʃɪəriəʊ] *interj* BRIT (*fam*) tschüs[s]

cheese [tʃi:z] *n no pl* Käse *m;* **~ sandwich** Käsebrot *nt*

cheesecake *n* Käsekuchen *m*

cheetah ['tʃi:tə] *n* Gepard *m*

chef [ʃef] *n* Koch *m,* Köchin *f*

chemical ['kemɪkᵊl] **I.** *n* Chemikalie *f* **II.** *adj* chemisch; **~ industry** Chemieindustrie *f*

chemist ['kemɪst] *n* **1.** (*student of chemistry*) Chemiker(in) *m(f)* **2.** (*pharmacist*) Apotheker(in) *m(f)* **3.** BRIT, AUS (*shop*) **~'s** *Drogerie, in der man auch Medikamente erhält*

chemistry ['kemɪstri] *n no pl* **1.** Chemie *f a. fig;* **~ lab[oratory]** Chemiesaal *m* **2.** (*make-up*) chemische Zusammensetzung

cheque [tʃek] *n* Scheck *m* (**for** über)

cheque account *n* Girokonto *nt,* Scheckkonto *nt* **chequebook** *n* Scheckheft *nt* **cheque card** *n* Scheckkarte *f*

cherry ['tʃeri] *n* Kirsche *f*

C

chess [tʃes] *n no pl* Schach[spiel] *nt*

chessboard *n* Schachbrett *nt*

chest [tʃest] *n* **1.** ANAT Brust *f* **2.** (*furniture*) Truhe *f*

chestnut *n* Kastanie *f;* **hot ~** heiße [Ess]kastanie; **horse ~** Rosskastanie *f*

chew [tʃuː] **I.** *n* **to have a ~ on sth** auf etw *dat* herumkauen **II.** *vt, vi* kauen; **to ~ one's fingernails** an den Nägeln kauen ▶ **to bite off more than one can ~** sich zu viel zumuten

chewing gum *n no pl* Kaugummi *m o nt*

chick [tʃɪk] *n* **1.** (*baby chicken*) Küken *nt;* (*young bird*) [Vogel]junges *nt* **2.** (*sl: young woman*) Mieze *f,* Schnecke *f*

chicken ['tʃɪkɪn] **I.** *n* **1.** (*farm bird*) Huhn *nt* **2.** *no pl* (*meat*) Hähnchen *nt* **3.** (*pej sl: coward*) Angsthase *m* **II.** *adj* (*pej sl*) feige ◆ **chicken out** *vi* (*pej sl*) **to ~ out of [doing] sth** vor etw *dat* kneifen

chickenpox *n* Windpocken *pl*

chick lit *n* (*fam*) Chick Lit *f* (*Frauenromane für trendy, erfolgreiche Mittzwanziger- bis Mittdreißigerinnen*)

chief [tʃiːf] **I.** *n* **1.** (*head of organization*) Chef(in) *m(f)* **2.** (*leader of people*) Führer(in) *m(f)* **II.** *adj* **1.** (*main*) **~ reason** Hauptgrund *m* **2.** (*head*) **~ minister** Ministerpräsident(in) *m(f)*

chiefly ['tʃiːfli] *adv* hauptsächlich

child <*pl* -dren> [tʃaɪld, *pl* tʃɪldrᵊn] *n* Kind *nt*

child abuse *n no pl* Kindesmisshandlung *f;* (*sexually*) Kindesmissbrauch *m* **childbirth** *n no pl* Geburt *f*

childhood ['tʃaɪldhʊd] *n no pl* Kindheit *f*

childish ['tʃaɪldɪʃ] *adj* (*pej*) kindisch

childless ['tʃaɪldləs] *adj* kinderlos

childminder *n* Tagesmutter *f*

childproof *adj* kindersicher

children ['tʃɪldrən] *n pl of* **child**

chili <*pl* -es> ['tʃɪli] *n esp* AM *see* **chilli**

chill [tʃɪl] **I.** *n* **1.** *no pl* (*coldness*) Kühle *f* **2.** (*illness*) **to catch a ~** sich erkälten **II.** *adj* (*liter: cold*) kalt **III.** *vi* **1.** abkühlen; **~ed to the bone** ganz durchgefroren **2.** *esp* AM (*fam: relax*) chillen *sl* **IV.** *vt* [ab]kühlen [lassen] ◆ **chill out** *vi esp* AM (*sl*) **1.** (*relax*) sich entspannen **2.** (*calm down*) chillen *sl;* **~ out!** reg dich doch mal ab! *fam*

chilli <*pl* -es> ['tʃɪli] *n* Chili *m*

chill-out ['tʃɪlaʊt] *adj attr room, area* Ruhe-

chilly ['tʃɪli] *adj* kühl *a. fig;* **to feel ~** frösteln

chimney ['tʃɪmni] *n* Schornstein *m;* (*of factory*) Schlot *m*

chimpanzee [ˌtʃɪmpᵊn'ziː] *n* Schimpanse *m*

chin [tʃɪn] *n* Kinn *nt*

china ['tʃaɪnə] *n no pl* **1.** (*porcelain*) Porzellan *nt* **2.** (*tableware*) Geschirr *nt*

China ['tʃaɪnə] *n no pl* China *nt*

Chinese <*pl* -> [tʃaɪ'niːz] **I.** *n* **1.** (*person*) Chinese(in) *m(f);* **the ~** *pl* die Chinesen **2.** *no pl* (*language*) Chinesisch *nt* **3.** *no pl* (*food*) chinesisches Essen **II.** *adj* chinesisch

Chinese cabbage *n* Chinakohl *m*

chip [tʃɪp] **I.** *n* **1.** (*broken-off piece*) Splitter *m* **2.** (*crack*) ausgeschlagene Ecke; **this cup has got a ~ in it** diese Tasse ist angeschlagen **3.** BRIT (*fried potato*) **~s** *pl* Pommes [frites] *pl;* **fish and ~s** Fisch und Chips **4.** AM (*crisp*) Chip *m* **5.** COMPUT Chip *m* **II.** *vt* <-

...st die ...**of sth** eine ...etw *dat* ▸ **to be** ...e Qual der Wahl haben ...(*top quality*) erstklassig

...oir [kwaɪəʳ] *n* Chor *m;* ~ **stalls** Chorgestühl *nt*

choke [tʃəʊk] **I.** *n no pl* AUTO Choke *m* **II.** *vt* **1.** (*suffocate*) ersticken **2.** (*blocked*) **to be ~d** verstopft sein **III.** *vi* (*have problems breathing*) keine Luft bekommen; **to ~ to death** ersticken; **to ~ on sth** sich an etw *dat* verschlucken

cholesterol [kəˈlestᵊrɒl] *n no pl* Cholesterin *nt;* ~ **level** Cholesterinspiegel *m*

choose <chose, chosen> [tʃuːz] **I.** *vt* [aus]wählen **II.** *vi* (*select*) wählen, aussuchen; **to ~ to do sth** es vorziehen, etw zu tun

chop [tʃɒp] **I.** *vt* <-pp-> **1.** (*cut*) **to ~ sth** ⇆ [**up**] etw klein schneiden; *wood* etw hacken **2.** (*reduce*) kürzen **II.** *n* **1.** (*meat*) Kotelett *nt* **2.** (*hit*) Schlag *m* **3.** *esp* BRIT, AUS (*fam*) **to get the ~** gefeuert werden ◆ **chop down** *vt* fällen ◆ **chop off** *vt* abhacken

chopper [ˈtʃɒpəʳ] *n* **1.** (*sl: helicopter*) Hubschrauber *m* **2.** BRIT (*for meat*)

...ɔːrəs] *n* <*pl* -es> ...rain *m* **2.** + *sing/pl vb* ... *singers*) Chor *m*

chose [tʃəʊz] *pt of* **choose**

chosen [tʃəʊzᵊn, AM -oʊz-] **I.** ... **choose** **II.** *adj* (*selected*) [a... wählt, ausgesucht; **the ~ peopl...** das auserwählte Volk

Christ [kraɪst] **I.** *n* Christus *m* **II.** *interj* (*sl*) ~ **almighty!** Herrgott noch mal!

christen [krɪsᵊn] *vt* **1.** (*give name to*) taufen **2.** (*use for first time*) einweihen

christening [ˈkrɪsᵊnɪŋ] *n* Taufe *f*

Christian [ˈkrɪstʃən] **I.** *n* Christ(in) *m(f)* **II.** *adj* christlich

Christianity [ˌkrɪstiˈænɪti] *n no pl* Christentum *nt*

Christian name *n esp* BRIT Vorname *m*

Christmas <*pl* -es> [ˈkrɪs(t)məs] *n* Weihnachten *nt;* **Happy ~!** Frohe Weihnachten!

Christmas carol *n* Weihnachtslied *nt* **Christmas Day** *n* erster Weihnachtsfeiertag **Christmas Eve** *n* Heiligabend *m;* **on ~** Heiligabend **Christmas pudding** *n* BRIT Plumpudding *m* **Christmas tree** *n* Weihnachtsbaum *m*

chronic [ˈkrɒnɪk] *adj* **1.** (*continual*) chronisch **2.** BRIT, AUS (*fam: extremely bad*) furchtbar

...nt **...o strike** ...s die Haus... ...in)

cl
g
din
church
cider
cigar [sɪ
cigarette
end Ziga
cine-came
cinema ['sɪnə
circle ['sɜːkl] **I.**
in ~s sich im Kr
cious ~ Teufelsk
1. (*draw*) umkringeln **2.**
kreisen **III.** *vi* kreisen
circuit ['sɜːkɪt] *n* **1.** ELEC Schaltsystem *nt* **2.** SPORTS Rennstrecke *f;* **to do a ~** eine Runde drehen **3.** (*circular route*) Rundgang *m* **4.** (*sequence of events*) Runde *f*
circulation [ˌsɜːkjə'leɪʃᵊn] *n no pl* MED [Blut]kreislauf *m*
circumstance ['sɜːkəmstæn(t)s] *n* Umstände *pl;* **to be a victim of ~[s]** ein Opfer der Verhältnisse sein; **in these ~s** unter diesen Umständen
circus ['sɜːkəs] *n* **1.** Zirkus *m a. fig* **2.** BRIT (*in city*) [runder] Platz
citizen ['sɪtɪzᵊn] *n* [Staats]bürger(in) *m(f)*

n
...tin *f*
...Dienst ci-
...chtliche Ehe
...eg *m*
... **1.** (*assertion*) Be-
... (*demand for money*)
... *f* **II.** *vt* **1.** (*assert*) behaup-
... (*declare ownership*) auf etw
... Anspruch erheben **3.** (*require*) in Anspruch nehmen **4.** (*demand in writing*) beantragen **III.** *vi* seine Ansprüche geltend machen; **to ~ for sth** etw fordern
clap [klæp] **I.** *n* **1.** Klatschen *nt;* **to give sb a ~** jdm applaudieren **2.** (*noise*) Krachen *nt;* **~ of thunder** Donner[schlag] *m* **II.** *vt* <-pp-> **to ~ one's hands** in die Hände klatschen; **to ~ sb** jdm Beifall klatschen ▶ **to ~ eyes on** [erstmals] zu sehen bekommen **III.** *vi* <-pp-> [Beifall] klatschen; **to ~ along** mitklatschen
clarify <-ie-> ['klærɪfaɪ] *vt* klarstellen

abschlagen; (*break off*) abbrechen **III.** *vi* <-pp-> [leicht] abbrechen
chippy ['tʃɪpi] *n* BRIT (*fam*) Frittenbude *f*
chiropractor ['kaɪ(ə)rə(ʊ)ˌpræktə'] *n* Chiropraktiker(in) *m(f)*
chocolate ['tʃɒkᵊlət] *n* **1.** *no pl* (*substance*) Schokolade *f;* **~ biscuit** Schokoladenkeks *m;* **~ mousse** Mousse *f* au chocolat **2.** (*sweet*) Praline *f*
choice [tʃɔɪs] **I.** *n* **1.** *no pl* (*selection*) Wahl *f;* **it's your choice!** du hast die Wahl! **2.** *no pl* **a wide ~** eine reiche Auswahl an ...
spoilt for ~ ...
II. *adj* ...
Hackmesser ...
per *m*
chopping board *n* Hackbrett *nt*
chopstick *n usu pl* [Ess]stäbchen
chord [kɔːd] *n* Akkord *m;* ▶ ...
a ~ with sb jdn berühren
chore [tʃɔːʳ] *n* **to do the** ...
arbeit erledigen
chorus ['kɔː...
Refr...